混血兒

張永琛 ㊕著

狂野在心的傳奇

蔡康永

在小時候慣於讀童話的我們，一旦長大了，對人生的限制也越來越馴服的時候，還有什麼在閱讀的時候，能讓我們的眼睛再亮起來？

是狂野在心的傳奇吧。

張永琛的《混血兒》，所傳之奇，非常強勁。巨山惡水與多種族的背景，立刻撐開了讀者的瞳孔，彷佛再奇突的人事皆能容納。

《混血兒》有一股很大的魅力，來自於故事融合了原始與文明的氣息，法律與醫學這些文明累積的成果，一次又一次成爲服務野蠻欲望的手段。這樣的佈置當然並不是多麼罕見，在許多古典科幻小說裡都常用到。可是張永琛的筆法，特別能加重原始部份的壓力，讓讀者覺得文明到了後來，都只是蠻荒擂台上的佈置而已，不是什麼人性救贖的措施。

文化雜交與媒體的連環引爆，將會使中文小說家的想像力越來越放肆，這對文學而言，說不上什麼必然的好與壞，可是起碼對傳奇這個文類，提供了更遼闊的空間。《混血兒》的故事，如果改編成連環漫畫，顯然就是引人入勝的產品，這當然跟《混血兒》寫作風格的粗略與快節奏，有很大關係。連環漫畫所操作的語言，正好跟這樣的寫作風格不謀而合。

《混血兒》做為傳奇來閱讀，很可惜的還有些問題。最關鍵的一環，是完整英雄的缺席——我們在男主角的身上，沒有接收到足夠的訊息，沒辦法認同男主角是有情有義的大好男兒。也許張永琛在將來有機會對《混血兒》的題材，做更大的發揮時，能夠為男主角整理出新而有光輝的面貌。

遠東不尋常

張永琛

如果沒有去過遠東，簡直無法想像她的神秘、她的詭異。那是一片充滿傳奇與靈性的土地。

就在這片土地上，我曾遭遇過一位鄂倫春老獵手。十幾年前的一場暴風雪，險些奪去了他的性命，是他的獵狗救了他。不過，他由此被鋸掉了左腿和十個手指。我見到他時，肥碩的褲管挽成了大大的一個結；兩隻手掌萎縮成了肉團一般。可令我驚訝的是，已經這樣了的他，竟然現在仍每天騎在一隻蒙古矮馬上，穿梭於蒼鬱的老林間，端着一支日本鬼子留下的老式步槍，依然百發百中——這，怎麼可以想像?!

我給他拍過九張照片，可待沖洗出來，那一捲膠卷其他的都很正常，獨獨他那九張是一片空白——這，又怎麼可以想像?!

或許正因爲此，我反而覺得，無法想像其神秘與詭異的遠東，你怎麼去想像她，都不過分——《混血兒》即如此。

自然，遠東不僅僅可以用來想像，更可以用來走一走的。

不必說遠東的粗獷與遼闊，也不必說遠東的滄桑與豐厚，單單是，一條被積雪掩埋的崎嶇山路，或是一條掛滿冰凌的窄窄巷道，都會令人浮想聯翩，流連忘返的。我曾兩次去過遠東，險些走過了她的四季。一次是在夏秋之際，一次是在冬末。最令我着魔的，當還要屬冬季。一派那樣的冰天雪地，又流溢着那樣無盡的蘊涵，該是這世上絕無僅有的。彷彿是，遠東隨便端出點什麼來，都會令我們瞠目結舌的。

譬如，就在遠東邊境線的另一邊上，曾有過一個很著名的『中國村』，村裏生息着三百多中俄混血兒。可就在某年某月的某一天夜裏，很突然的，也很悲愴的，這三百多中俄混血兒竟然消失了，消失得無影無蹤。沒有留下一滴血，沒有留下一個字，甚至連一聲哭喊也都沒有留下，至今仍然音訊皆無、下落不明！

這可不是想像，是眞實地發生過的，是歷史。距今不過三十幾年。是凝結在漫長的遠東邊境線上一個小小的不解之謎。

告訴我這個不解之謎的人，就是那位充滿傳奇色彩的鄂倫春老獵手。他是那個『中國村』裏唯一躲過那場厄運的人，因爲那天夜裏他正在山上打獵。在訴說這個不解之謎的時候，他的表情肅穆得讓我心顫。那正是黃昏。是在他剛剛搭就的『仙人住』裏。他用破舊的步槍當枴杖，幾乎是單腿跳來跳去，却很是快捷。砍幾枝樹幹，然後用獸皮一圍，便就是一個『家』了。『仙人住』裏燃燒着熱烈的篝火，嗶嗶啪啪地爆響着。老獵手喝完了一壺酒，拍響起了『薩滿靈鼓』，這是鄂倫春人用來與神靈對話的一種最原始也是最有效的方式。他們尊崇『薩滿教』，以天地、山川、冰河爲膜拜的圖騰，很豪爽的。『薩滿靈鼓』的聲音越來越急促，很像是在呼喚着什麼。果眞，不多時，由遠而近便響起了咚咚咚極是鏗鏘的脚步聲，彷彿整座大山都跟隨着在顫動。聽着聽着，老獵手忽然間停止了拍動，對我說：山神來了呢，躺下睡吧。

我被驚嚇得不知所措，諦聽着那鏗鏘的脚步聲停在了『仙人住』的門口。老獵手將『薩滿靈鼓』塞給了我，我緊緊地抱在了懷裏，漸漸，竟感受到了一種從沒有感受過的寧靜與超然。

老獵手又說：有山神來保佑，你就能睡個好覺了。

果然是。

就在那天夜裏，我夢見了一個稜角分明的男人遊蕩在充滿神秘與詭異的遠東，他顯然是在尋找着什麼。他那同樣鏗鏘跳動的血脈告訴我：他是一個——『混血兒』。

人性不能泯滅的根基就是愛
肉體可以消亡，但愛卻不能——

第一章：偷渡

在雪夜裡偷越國境，並不是個最佳的選擇，尤其是偷越像烏蘇里江這樣冰封的國境線。

但莫林實在是迫於無奈。

對岸，俄羅斯邊防軍的探照燈，透過翻飛的雪片，交叉襲來，彷彿是在警告著莫林。儘管他看不清楚，但卻不難猜測出，此時此刻，在那一座座木製或是混凝土建築的崗樓內外，游動著荷槍實彈的哨兵。如有風吹草動，嘯叫的子彈和狂吠的狼狗就會撲面而來。

但莫林卻無退路。半個月前，他接到了太太李韵從遠東腹地克拉蘇山莊打來的最後一個電話。李韵泣不成聲，說：快來救救我……莫林！莫林當時懵了。他想像不出究竟發生了什麼，會使李韵那樣痛苦地哀求。接著，莫林便聽見李韵受到重擊後發出的一聲撕心裂肺的尖叫聲。那聲音讓莫林不寒而慄。可沒等他問個明白，電話竟然被切斷了。他當時還是在哈爾濱的家裡。他馬上給烏蘭諾娃打了個電話，可是沒有找到她。她的助手說她正在歐洲旅行。李韵是烏蘭諾娃的中文翻譯，如果發生了意外，莫林有理由相信主謀者一定就是烏蘭諾娃小姐本人！

李韵就這樣神秘地『失蹤』了！

莫林不肯相信這個事實。他馬上申請去俄羅斯的簽證。他發誓要找到李韵——愛過一場，就是一場，既改變不了，也泯滅不了。即便李韵是被害了，他也要找到屍體，也要爲李韵報仇！可是，他的簽證申請竟然莫名其妙地被大使館拒絕了。他當時第一個感覺，就是這其中隱藏著一個陰謀！因爲自從一九八九年中俄邊境『開放』以來，他多次去過俄羅斯，曾經談過幾百萬元的生意。俄羅斯沒有理由來拒絕他！他沒有時間去分辨什麼，更沒有時間來等候，祇有一條路可走，那就是——偷渡！

身後傳來了雜沓的馬蹄聲。是中國邊防軍在搜尋。莫林慌忙隱進了江堤下的灌木叢裡。

幽暗中，他感覺到雙頰火辣辣地疼痛。他知道肯定是被劃破了。他沒有動。像一隻狡黠的火狐一樣，臥伏在冰冷刺骨的江面上，伺機出逃。他披著白色的披風，同這翻飛的雪夜渾然一體。馬蹄聲漸漸遠去。探照燈也移向別處。莫林乘機騰越而起，滾翻著向對岸摸去。

二十分鐘後，莫林已越過了烏蘇里江，踏上了俄羅斯的土地。他選擇了阿烏爾山巒作爲偷渡的跳板。他知道這樣會遇到許多困難，但卻可以躲開俄羅斯邊防哨兵。當他爬上江邊陡峻的山崖時，心情既悲傷又急切。他暗暗咒罵了幾句，說不清是咒罵自己還是咒罵烏蘭諾娃。烏蘭諾娃是個陰險狡詐的女人，她自稱爲『遠東女皇』。現在她已經差不多將整個遠東控制在手。如果不是她的主謀，那誰又敢加害於李韵？莫林想像不出會有第二個人！

翻飛的大雪依然在飄蕩不停。

阿烏爾山巒地形複雜，溝壑縱橫。大雪早已將崎嶇蜿蜒的山路掩埋了。莫林祇能憑藉自己的感覺和對山林粗淺的認識，摸索著向前進發。遠遠地傳來了一聲狼狗的狂吠聲。莫林急忙臥倒在地，慢慢爬去。可忽然，他驚愣住了——在雪光的輝映下，一隻黑熊正在向他走來。那隻黑熊並不是四掌著地，而是直立著，步伐穩健、靈活。莫林有些惶恐。他臥伏在雪地上，手裡緊握著一把彈簧刀，隨時準備發起攻擊。可是，黑熊卻在離他幾米遠的地方停下了。黑熊眼覷著莫林，突然開口道：『小心些——你前面就是電網！』

莫林驚得目瞪口呆！黑熊竟然說得非常流利、非常純正的漢語！他簡直像是在夢中！他下意識地判斷這一定是俄羅斯邊防軍中的特工人員。慌亂中，他的手突地感覺到了一陣酥麻，隨之便吧地一聲爆出了一道藍色的火弧，一股電流迅速地襲擊了全身。眞的觸上電網了！莫林祇哀哀地想了一想，便暈了過去……

這是一個四面環山的小村落，不大，祇有五、六十處木克楞散落在河谷兩旁。河面早已被冰封。四周的群山儘屬於阿烏爾山脈。因爲村中百分之九十的家庭是中俄混血兒家庭，因此，這個小村落被稱之爲『阿烏爾中國村』。在村落的後面，住著年輕的卓婭。

卓婭不是那種整日沉溺於想入非非的姑娘，更不是女巫，因此她根本就不相信所謂『通靈』之類荒唐的事情。可是，讓她常常詫異的是，她的許多初看起來有些荒誕不經的夢境，後來竟然紛紛被生活所應驗、所重複。這個奇異的現象，第一次發生在她九歲的那年冬天。

有一天夜裡，她夢見了天空中雪片似的下起了一串串冰凌。那些冰凌飄搖著翻飛著在落地前的一剎那，竟然全都變成了一把把鋒利無比閃動出寒光的尖刀。刀刃還流淌著斑斑的血跡。她被驚醒，大喊大叫著去另一間屋子找媽媽。可是，媽媽已經不在了。天亮的時候，她被告知媽媽已經被克格勃處死……她的媽媽是個中國人，是個性格堅強的中國女人！

失去了母親的卓婭，是在憤恨和悲傷中長大的。當然，還有常常困擾她的那些紛亂、荒誕的夢境。

就在莫林出現的那天凌晨，卓婭同樣被一個近乎於荒誕不經的夢境所驚醒。這個夢境並不是第一次出現，最近越來越頻繁。卓婭不知道這究竟意味著什麼。夢境中的天空一片緋紅，就彷彿是熱烈的晚霞在燃燒著。在萬道霞光裡，一匹天馬搧動著雙翼，翱翔而來。馬背上，騎著一位英俊、帥氣的年輕男人，就像神話傳說中的王子一樣。他的神情非常急切，似乎是在追趕、尋覓著什麼，可是，他沒有找到，沒能如願。他因此而顯得淒楚、憂傷。

這個奇異的夢境，又會應驗什麼?卓婭無法預料。

每次醒來以後，她都要發愣到天明。冬季裡，黑夜格外的漫長。在單調寂寥的黑夜裡，卓婭被孤獨和憂鬱所困擾，她無法擺脫那個彷彿來自遙遠天國裡的呼喚。但她意識到，這分明是生命中的一個隱喻、一個昭示，她不能違拗，祇能等待著。

天快亮的時候，她起身下床，拉開窗簾向外看去，雪依然在飄蕩不停。她的目光向迷濛的雪野深處延伸，忽然，她愣了一下，看見一隻黑熊遲緩、沉重地向她走來。她的神情有些激動。她知道是誰來了。

當她打開門，就看見黑熊並不是一個人來的，還背著一個男人。還沒等卓婭明白是怎麼回事，黑熊已將莫林背進屋內，丟到了床上。卓婭追進來，問：『在哪裡遇到他的？』

『山上！就靠近邊境線——準又是偷渡過來的！』黑熊說：『妳看看吧，能救還是把他救過來好。』

黑熊說著，摘下了頭套，露出了眞相。他的臉面被嚴重地燒傷過，面目全非且不說，還扭曲得令人恐怖。但卓婭不害怕。卓婭已經習慣了。在這個世界上，卓婭沒有別的親人，祇有黑熊一個。

卓婭急忙察看莫林的傷勢。莫林的雙手雖然被電擊了，但並不嚴重。嚴重的倒是雙腳，已被凍得結了一層冰。卓婭急忙讓黑熊到屋外端來一盆雪，細心地揉搓起來。雪水漸漸流淌。莫林的雙腳也漸漸泛出血色來。卓婭又解開莫林的上衣，用雪團揉搓著莫林的胸脯。被凍僵了的莫林彷彿擠壓出了胸中的鬱悶，哀怨地長舒了一口氣，全身開始緩動起來。

黑熊翻翻莫林的眼皮，道：『他死不了，活過來了。』

卓婭向黑熊伸手：『沃特嘎！』

黑熊急忙去櫃子中翻找出半瓶酒來，遞給卓婭。卓婭灌了一大口，卻沒有嚥，在嘴中含著。她扒開莫林的嘴巴，嘴對嘴地將酒灌進了莫林的嘴裡。黑熊見了，分明回憶起了什麼，傷感地扭轉臉去。

卓婭又那樣灌了一口。

莫林被嗆得咳嗽了一下，全身劇烈地滾過一陣顫慄。稍頃，又舒緩下來，沉沉地酣睡著。

黑熊看看他，放心了，便對卓婭道：『天快要亮了，我得走了。』

卓婭聽了，憂傷地看著黑熊，道：『老喬……天冷了，你自己一個人在山上，要多加小心。別凍著，別……撞到獵人的槍口上。』

黑熊默然了一下，道：『放心，我會小心的。卓娅，妳也保重。』

黑熊的眞名沒有人知道，在傳說中他叫黑熊老喬。遠東許多的人都聽說過有關黑熊老喬的傳說。黑熊老喬是六十年代末從黑龍江南岸偷渡過境，被克格勃看中，培養成了一名高級特工。他曾在東南亞和香港、臺灣一帶活動過幾年，非常出色。但後來，由於他將一個中國姑娘帶回俄羅斯，引起了克格勃的極大不滿。他的上司馬亞契科上校將他囚禁起來。而那位中國姑娘也被馬亞契科上校霸佔了。幾年後，黑熊老喬從監牢死裡逃生，帶著那位中國姑娘『私奔』了。他們隱姓埋名隱居在阿烏爾的中國村。可好景不常，馬亞契科上校很快就查訪到了他們的行蹤。他惱羞成怒，製造了一場車禍，將那位中國姑娘和黑熊老喬一同處死。那不是一場簡單的撞車或者墜崖之類的車禍，而是爆炸——一場眞正的大爆炸。爆炸過後的現場，祇留下了一個彷彿遭受到砲彈轟擊過的深坑。至於黑熊老喬是如何從那場爆炸中再次死裡逃生的，沒有人能說得清楚。事實上，除了卓娅之外，還沒有人知道黑熊老喬至今仍活在這個世界上——連被稱之爲遠東的『惡魔使者』的馬亞契科上校也沒有料到黑熊老喬能躲避過那樣的災難。

那一年，卓婭剛九歲，剛開始做那樣荒誕不經的夢境——不錯，是的，黑熊老喬愛的那位中國姑娘就是卓婭的母親。

卓婭將一瓶『沃特嘎』塞給了黑熊老喬。黑熊老喬沒有推辭，接過來，重新戴好『黑熊』頭套，推門走了出去，稍頃便融進了風雪之中。卓婭站在門前，看見黑熊老喬漸漸消失，心裡湧起沉沉的悲涼。儘管黑熊老喬是她唯一的親人，但卻不能守候在一起，因爲一旦被克格勃發覺，不可避免的將再次出現更大的災難。

黑熊老喬走出了卓婭的視野，走進了風雪中蒼茫的山林。那裡，是他的『家』。卓婭清楚，黑熊老喬之所以這麼多年一直隱藏在山林中，就是想照顧和保護她。這讓她心裡充滿了感激。有的時候，她竟隱隱的羨慕起母親來，能與黑熊老喬這樣的男人愛過一場，眞的是死而無憾了！

卓婭轉身回到床邊，仔細察看莫林。她不由得驚愣住了：這怎麼可能？莫林竟然與她夢見的那位騎在天馬上的男人一模一樣！她簡直無法相信這樣的眞實。難道這一次還會應驗麼？

她發愣地端詳著莫林，感到激動也感到忐忑。如果這一次還能夠應驗，那麼，卓婭可真要感謝上帝的慈愛了！

莫林緩緩地動著，好像跋涉了許久，非常疲羸。這令卓婭有些心疼。偷越國境畢竟不是一件容易的事，他一定受了不少的苦！

莫林慢慢醒來。他吃力地睜開沉重的眼簾，向窗外看去，鵝毛大雪仍在紛亂地飄蕩不停。儘管窗外是一片冰天雪地，但莫林卻感覺到了一股溫暖的氣息在包融著他。

屋頂，懸著一盞老式吊燈。牆壁上掛著羊毛壁毯。那上面的畫面熱情奔放，是一群俄羅斯人在一片森林中游獵。莫林還看見壁毯的下角有一條彎彎的溪流在奔湧著通向遠方。地平線一片蒼茫……莫林忽然覺得詫異：這是哪裡？

他扭轉頭，看見卓婭正在端詳著他。他有些糊塗了。

卓婭問：『睡得好嗎？』

莫林沒有回答，仍看著她。

卓婭嫵媚地一笑，道：『咖啡我已經煮好了，你現在要嗎？』

莫林想了想，點點頭。

卓婭安慰似的給他掖掖被角，然後轉身去了廚房。

恍惚是在夢中，可分明又不是。莫林疑惑不解，想不清楚這是怎麼回事。他還記得那隻會說人話的黑熊，還記得他是被電暈的，那麼，現在應該是在俄羅斯邊防軍的拘留所裡，而不應該在這樣一個充滿溫馨的家中。他動動身體，想起床。可雙腳鑽心的疼痛使他不得不放棄了努力。他慢慢靠扶在床頭上，認眞地打量起來。地毯、壁爐、沙發、老式臺鐘……確實不是在監獄裡！

卓婭端來了咖啡。莫林接過，輕輕呷了一口，冷不防咳嗽起來。咖啡灑在了被子上。莫林愧然地說：『對不起……』

卓婭一聽，顯得很高興：『哦，你會俄語，這太好了！我叫卓婭。怎麼稱呼你？』

莫林說：『我叫莫林。』

卓婭笑笑，充滿了溫情。她將灑在被子上的咖啡擦拭掉，又對莫林說：『你的腳凍傷了，需要治療。不過不要怕，傷得並不重，抹幾副凍傷膏就會好的。』

莫林更加疑惑。她不可能看不出他是偷渡過來的。可是，她卻沒有問，相反竟然像熟人一樣照顧著。這讓莫林感到不安。莫林直視著她，禁不住問：『那隻黑熊呢？』

卓婭道：『他走了。』

『他是誰？』

卓婭沉吟了一下，道：『是黑熊老喬。』

哦？莫林不由得呆愣了。神秘的黑熊老喬並沒有死？還在人世？可莫林仔細想想，在那般風雪彌漫的夜晚裡，除了黑熊老喬哪還能有誰會出現在蒼茫的老林裡?!

莫林問道：『這麼說我是被捕了？』

『被捕了？』卓婭愣了愣。『你為什麼要這樣想？』

『黑熊老喬不是克格勃的高級特工嗎？』

『克格勃幾年前已經被解散了。再說，黑熊老喬離開克格勃已經二十多年了。』

『可我還是不能明白，』莫林說：『你們為什麼不報告警察？』

卓婭卻反問他：『為什麼要報告警察？難道你喜歡去坐牢？』

『可我是偷渡過來的。』

卓婭說：『這我能看出來。算你走運，碰上了黑熊老喬。如果不是他救了你，這會兒恐怕凍也會凍死你的。』

卓婭沒有過多的解釋。其實，莫林並非是第一個。在過去的幾年裡的冬天，黑熊老喬曾救過不下十幾位偷渡客。沒有人要求黑熊老喬這麼做，但他卻做了，憑著他那一顆善良和飽受創傷的中國心。

莫林吞吐著說：『如果眞的是在救我，我想……總應該有些緣由，因爲救助一位偷渡客是需要冒很大的風險的。』

卓婭看著莫林，慢慢道：『因爲你和黑熊老喬同是中國人，而我的母親也是個中國人——難道這理由還不夠嗎？』

當然，還因爲那個奇異的夢境、那片緋紅的霞光和那匹翱翔的天馬！但卓婭沒有好意思全都說出來。或許就是因爲這些，卓婭對莫林感到格外的親近。很顯然，莫林會讓她夢幻中的期待，漸漸變得眞實，漸漸變得明朗。

莫林細細端詳著卓婭，果然，從她清秀的面孔中，透露出中國人的某些遺傳特徵來。哦，她也是個混血兒！

莫林感動地說：『謝謝妳，卓婭……』

卓婭又是那樣充滿溫情、嫵媚地一笑。

由於雙腳被凍傷，莫林不得不滯留在卓婭家。卓婭不僅對他精心治療，而且還關懷備至，這讓莫林十分感動。卓婭是阿烏爾『中國村』唯一的一名教師。她每天上完課回來，總是不忘給莫林帶回一份報紙，以排解莫林的寂寞。但莫林哪裡能看得下去。他心裡燃燒著憤怒之火，恨不能馬上趕到克拉蘇山莊，向烏蘭諾娃討個明白！李韵絕不會是眞的失蹤了，而一定是被害了！在那樣一個充滿邪惡的『魔窟』裡，什麼事情都能發生。

卓婭始終沒有問莫林爲什麼要偷渡。她衹是在言語間流露出希望莫林能夠留下，留在這裡不走。莫林雖然聽得明白，卻迴避過去了。

這期間，黑熊老喬曾來過兩次，都是在夜暮降臨以後來的。他給卓婭送來了一些獵物，還有莫林需要換用的凍傷藥膏。當他看出卓婭對莫林流露出的那種殷殷的期待時，心裡充滿了欣慰。卓婭已經大了，她需要有一個男人來愛她。

莫林的腳傷恢復得不算快，大概是因爲同時還遭受了電擊的緣故。又過去幾天，他才咬著牙拄著雙枴下床走動。這雙枴杖是卓婭親手爲莫林趕製的。莫林拄著它，走出木克楞，走向了河谷。

河面早已被冰封。卓婭帶著一群孩子正在冰面上打雪仗、堆雪人。莫林拄著枴杖，向他們走去。他已經認出來了，這裡是阿烏爾山脈的分支，離邊境線祇有五六十公里。前兩年他來往於中俄做邊貿生意的時候，曾經到過離這不遠的另一個村莊。

這裡幽靜得簡直有些世外桃源的意味。

卓婭跑過來，扶住莫林，關切地問：『你覺得怎麼樣？還疼嗎？』

莫林搖搖頭：『已經不很疼了。』

『那太好了。』卓婭興奮地說：『等你好了，我們一起上山打獵去，有興趣嗎？』

莫林不置可否地笑笑。他看看四周被積雪覆蓋的山巒，的確充滿了誘惑。這是出獵的最好季節。山鷄、野兎、熊瞎子，還有狎、豹、野豬什麼的，都能碰得見。莫林有一手好槍法。他去年冬天曾陪著烏蘭諾娃打過兩次獵，槍槍不落空，讓烏蘭諾娃驚訝不已。烏蘭諾娃當時就透露出要請他做貼身保鏢的意向，卻被莫林婉轉地拒絕了。他覺得整天跟在一個女人的身後來討生活，實在太那個。哪怕這個女人再怎麼不同凡響。

『這裡眞是太美了。』莫林感嘆著說。如果不是要去爲李韵報仇，莫林倒眞想留在這世外桃源裡，過一種與世無爭的寧靜的生活。

可卓婭卻嘆息一聲，說：『祇是美得有些過於淸冷了……』

莫林愣了愣，好像不明白卓婭爲什麼要這麼說。卓婭看著散落在四周的一座座木克楞，又道：『這村落中的混血兒家庭，男人們大都出外做工去了，就剩下了女人和孩子，到了夜晚，除了能聽到狗吠聲，再也聽不到別的聲音……』

莫林聽了心中發沉。他不難體味出卓婭的孤寂。一個單身女人生活在這樣的環境裡，無疑就是一種異樣的折磨。更爲可怕的是，這折磨恰恰就來自於心靈的深處。

卓婭看著莫林，眼睛裡又閃現出那殷殷的期待：『莫……如果你能留下來，那該多好啊。』

莫林怦然心動。他不能再迴避了，再迴避不僅虛僞，也會傷害卓婭的心。『卓婭……謝謝妳的好意。』莫林眞誠地說：『別人偷渡過境，是爲了來找工作，可我不是。我是來尋找我太太的。』

『尋找你太太？』卓婭不由得有些吃驚：『她、她怎麼啦？』

『她失蹤了，或者說已經被害了。可不管她是死是活，我都要找到她！』莫林沉沉地說。

顯然這出乎卓婭的意料。她沒有想到會是這樣，一時間，她有些不知所措。她能夠理解莫林，太太失蹤了，當然要去尋找。可……理解歸理解，卓婭於驚愕中仍還是感到了幾分憂傷的失落。原來騎在天馬上的男人，並不屬於她卓婭！

『等我腳上的傷好了，我就走。』莫林有些負疚地說：『我知道，這讓妳失望了，卓婭……』

卓婭極力忍著，才沒有流下淚來。她搖搖頭，安慰似的道：『你應該走，莫……太太失蹤了，當然要去尋找。可你知道到哪裡去找她嗎？』

『知道。』

『哪裡？』

『克拉蘇山莊。』

卓婭聽了，驚異地顫慄了一下。她似乎怕聽錯了，小心翼翼地又問了一句：『你是說……克拉蘇山莊？』

莫林點點頭。是的，要去的就是克拉蘇山莊！他一定要弄個水落石出！如果李韵果眞被害了，那他會向烏蘭諾娃復仇的！

這裡隱秘著一個女人的野心和陰謀

愛，或者恨，都會成爲最佳的誘餌——

第一章：陷阱

對於遠東人來說，沒有比克拉蘇山莊更爲神秘的地方。

它的確切位置自然不會出現在任何地圖上。祇知道它隱密在蒼茫葱鬱的原始森林深處。四周，佈滿了警戒線。三條交錯的峽谷爭相環繞著克拉蘇山莊。這裡，原來是克格勃遠東的指揮中心。蘇聯解體後，解散了克格勃，克拉蘇山莊隨之也更換了主人。

新主人就是被稱之爲『遠東女皇』的烏蘭諾娃小姐。她花了近五千萬的美金買下了克拉蘇山莊。她覺得實在便宜得很。因爲這差不多就意味著她買下了對整個遠東的『統治權』。

烏蘭諾娃小姐是個冷艷美人。她的身上混流著中俄兩種血脈。她以前曾經是俄羅斯最著名的電影演員，五年前正當美國好萊塢向她發來邀請的時候，她卻息影不幹了。她對新聞界解釋說，我不能委屈了自己——因爲我生命中注定還有更重要的事情需要我去做！在電影界的輝煌，對於我來說，那不過僅僅是一支小夜曲而已！

此話已出，上至總統下至普通百姓都對她莫名其妙了。

可僅僅五年過後，人們再理解她當初的話，竟然品味出了許多別樣的滋味。在遠東，生活著將近三百萬中俄混血兒。烏蘭諾娃利用自己的聲望和血統的優勢，很快就建立起了一個龐大的『混血兒帝國』。這個『帝國』西起貝加爾湖的伊爾庫次克，東至堪察加半島，向北則延伸到了與美國阿拉斯加遙遙相望的白令海峽，整個地域相當於七、八個法國大小。烏蘭諾娃從不掩飾她的野心。她對外公開宣稱，她可以改變遠東——可以讓遠東在一種新的秩序下獲得新生！此話一出，立即在西方引起了巨大的震動。觀察家們紛紛指出：這可不屬於一個女人的柔情！誰要是把這僅僅看成是一個女人的胡言亂語，那幾年之後，誰就要目瞪口呆！

事實上，西方某些國家已經半公開地承認了烏蘭諾娃對遠東的『統治權』。

一個月前，烏蘭諾娃出訪歐洲，所到之處，受到的禮遇簡直與一國元首相差無幾。這引起了克里姆林宮的極大不滿。但卻無法提出外交抗議。因爲名義上，烏蘭諾娃祇是作爲『遠東跨國集團』總裁的身分出訪的。而她自己對於這個『卑賤』的身分則耿耿於懷，因爲她覺得她是『混血兒帝國』裡名副其實的女皇。

烏蘭諾娃每天早晨起床後，喜歡騎馬兜風。她的許多重大的決定都是在馬背上作出的。那匹棗紅馬暴烈異常，奔跑起來，兩耳生風。烏蘭諾娃差不多花了整整一個冬天的時間才馴服了牠。這使她非常得意。祇要是她想馴服的，不管是馬還是人，最終都要乖乖地向她臣服，否則，她是不會善罷甘休的。

當然，這也包括那個中國男人——莫林！

想起莫林，烏蘭諾娃不免有些激動。她雖然與莫林祇見過一面，但卻對他留下了極深刻的印象。那是一個很有味道的男人。在烏蘭諾娃的眼裡，有味道的男人畢竟不是很多。

那天早晨，烏蘭諾娃同往常一樣，在她的高級助手波波娜小姐的陪同下，騎馬兜風，她的心情十分愉快。莫林中計了，偷越國境，這就意味著他將無法逃脫她的征服。她知道他注定要拜倒在她的腳下的。

『波波娜，我不知道妳對他有什麼印象，看起來莫是個並不愚笨的男人，是不是？』

波波娜騎著一匹黑馬。她陪伴在烏蘭諾娃身旁，小心地選擇著詞句：『莫是個中國男人……烏蘭諾娃小姐，對於中國男人，我實在缺乏了解。』

『伴君如伴虎』，儘管烏蘭諾娃對她十分信任，但她仍處處小心，這或許也是她能長期留任在烏蘭諾娃身邊的緣由。

『哈——』烏蘭諾娃聽了，爽朗地笑了起來：『波波娜，那妳應該找個中國男人做情人，我相信那不會讓妳失望的！』

波波娜笑笑。並不是每個中國男人都像莫那樣有味道——波波娜想這樣說，但卻未說。她怕掃了烏蘭諾娃的好興致。

她們正要路經克拉蘇山莊後那座小教堂時，突然看見一個格魯吉亞男人向她們急切地撲來。那個男人大約四十來歲，臉上的鬍鬚亂蓬蓬的至少能有一個禮拜沒刮了，這使他顯得有些骯髒。他跪倒在烏蘭諾娃的馬蹄前，滿臉是淚地哀求著，這令烏蘭諾娃十分不快。這個格魯吉亞男人不僅打斷了她的思緒，而且，也讓她反感。她想不起他是誰，也不願意去想，祇是沉下臉來看著他。

格魯吉亞男人哀求道：『尊敬的烏蘭諾娃小姐，請妳寬恕我——我不是故意的，眞的不是……』

烏蘭諾娃冷冷地道：『先生你擋住我的去路了——請躲開！』

格魯吉亞男人卻沒有躲，相反像抓住救命草似的抱緊了棗紅馬的馬蹄，語無倫次地哀求不已。烏蘭諾娃皺皺眉，一抖韁繩，棗紅馬長嘶一聲，騰起了前蹄，一個騰躍，便將格魯吉亞男人給踢翻了。格魯吉亞男人痛苦地哀叫一聲，滾在了一旁。烏蘭諾娃冷笑道：『我已經請你躲開了，先生！』

這時候，烏蘭諾娃的幾位保鏢匆忙趕來，從地上抓起了格魯吉亞男人。格魯吉亞男人似乎絕望了，哆嗦著哀哀地望著烏蘭諾娃。保鏢也在等候烏蘭諾娃的吩咐。烏蘭諾娃實在不耐煩了，將鞭梢一指，保鏢立即將格魯吉亞男人拖向了旁邊的小樹林中。幾分鐘後，便傳來了一聲清脆的槍聲。波波娜明白，一個生命就這樣結束了，從此這個世上再也找不到這個格魯吉亞男人了。

烏蘭諾娃聽見槍聲之後，輕輕地吹了一聲口哨。她問波波娜：『剛才我們說到哪兒了？』

波波娜道：『那個中國男人——莫。』

烏蘭諾娃：『哦，對了……莫！』她好像心情又愉快起來，對波波娜道：『波波娜，我簡直有些等不及了，非常盼望莫能儘快到來。如果我說我要選擇莫來做我的丈夫，妳一定會感到吃驚了吧？』

波波娜驚異地看著烏蘭諾娃，有些始料不及。雖然她跟隨烏蘭諾娃多年，但仍常常跟不上烏蘭諾娃那些稀奇古怪的思維。波波娜參與了設計將莫林騙到俄羅斯來的過程，並且還親自承辦了其中的部份計畫，這包括同俄羅斯駐中國大使館打招呼，拒絕給莫林簽證。這樣做的目的，是杜絕莫林的退路——祇要他越境，再想回去也難了！可波波娜始終不知道究竟因爲什麼，會使烏蘭諾娃忽然對一個中國男人發生了這麼大的興趣。烏蘭諾娃沒有把『底牌』亮給她看。難道那個叫莫林的中國男人眞的會有幸成爲烏蘭諾娃的『新寵』嗎？如果是，這簡直有些不可思議了！

不過，烏蘭諾娃常常讓人不可思議。

『一會兒我要會見馬亞契科上校，請妳安排一下。』烏蘭諾娃吩咐道。烏蘭諾娃說完，忽又想了起來，問：『剛才那個格魯吉亞男人是誰？』

波波娜道：『他是我們在堪察加半島牧場的牧馬人。前幾天那場大雪中，他弄丟了一匹馬。他心裡感到不安，特意來請求妳寬恕的。』

烏蘭諾娃忍不住笑將起來：『那就正好了——他用他的命抵償了我的一匹馬，再也用不著寬恕什麼了。』

波波娜暗自驚愣，思忖著：一條命與一匹馬劃上了等號，這樣的等號或許衹有烏蘭諾娃才能夠劃得上！

馬亞契科上校去拜見烏蘭諾娃小姐的時候，心裡眞是百感交集。山河依舊，卻今非昔比，乾坤倒轉。他不由得生發出悲天憂人的感慨。越接近克拉蘇山莊，這種感慨就越加強烈。因爲他就是這座神秘『山莊』的舊主人。

他原先是克格勃在遠東地區的最高指揮官。別看僅是個上校，但那時候，在遠東眞可以說一手遮天，連海參崴、堪察加等幾個軍區的將軍們都得對他禮讓幾分。克格勃被解散後，馬亞契科上校不甘心就這樣退出歷史的舞臺，隨即便下令原班人馬『按部就班』，成立了諸如『討債公司』、『保安公司』等五花八門的公司，自謀發展。但由於被取消了正式編制，三萬多人馬的給養成了馬亞契科上校最頭疼的事情。這次他來拜見烏蘭諾娃小姐，也是出於一種無奈。

他駕駛著汽車駛進『山莊』的警衛哨時，很規矩地將兩支手槍交給了警衛。波波娜站立在九號別墅的門前等候著他。他看著豐潤性感的波波娜，冷冷一笑，道：『妳好，波波娜小姐——』

波波娜沉靜地點點頭，就算是打招呼了。她實在不願意同這個『惡魔的使者』多說什麼。她帶著他向室內游泳池走去。經過亭廊的時候，馬亞契科上校下意識地打量著四周金碧輝煌的裝飾，讚嘆道：『眞不錯——比我在這裡的時候要豪華氣派得多了！』

波波娜依然沒有回聲。

他們到達游泳池的時候，烏蘭諾娃正在水中很悠閒地游來游去。馬亞契科上校不便打擾，祇好等候在一旁。他看著水中的烏蘭諾娃，心裡湧起一絲莫名的仇恨，就好像他所失去的那些，就是被這個野心勃勃的女人佔有了似的。

等候的時間很難耐。馬亞契科上校簡直快要憤怒了。他極力壓抑著心中的不快，看著烏蘭諾娃慢慢爬上游泳池，臥伏在一張進口的按摩床上。旁邊，早已候立著的一位男按摩師。按摩師馬上動手，給她按摩起來。

馬亞契科上校沒有想到烏蘭諾娃會在這樣一個地方召見他。這令他感到疑惑。他對她可以說相當了解。她決不是那種容易發生疏忽的女人。她這樣做，要麼是一種親近的表示；要麼就是一種輕蔑。而這兩種，對於馬亞契科上校來說，都是難以接受的。

『妳好，烏蘭諾娃小姐。』馬亞契科上校近前問候道。

烏蘭諾娃臥伏在按摩床上，竟然連頭都懶得抬。

『我連著三天提出要……拜見妳，才獲得允許，所以我要珍惜時間。』馬亞契科上校不滿地說。

『哦？』烏蘭諾娃淡淡一笑，道：『我想像不出親愛的馬亞契科上校這回能給我帶來什麼好禮物？』

『這禮物確實不錯，妳肯定會感興趣的。』馬亞契科上校將公文包打開，抽出一摞紙，對烏蘭諾娃晃了晃，道：『這裡有一段有關遠東的歷史——還記得西蒙琴科大公爵吧？』

聽到這個名字，烏蘭諾娃微微一怔。儘管目光沒有對視，但仍沒有逃脫馬亞契科上校的捕捉。他禁不住興奮起來。這至少說明烏蘭諾娃對此事不是漠不關心。這就爲他的討價還價加重了砝碼。

烏蘭諾娃起身，揮揮手，摒退了包括波波娜在內的所有的人，然後披上浴巾，點燃一支煙，慢悠悠地吸了一口，對馬亞契科上校道：『繼續說吧。』

馬亞契科上校掩飾著內心的興奮，說：『做爲沙皇的近親，西蒙琴科家族在遠東統治了近一百五十年，這歷史夠悠久的。可是，在一九二三年，在蘇維埃的進攻下，西蒙琴科大公爵不得不放棄了遠東，逃到了中國境內。他先是在佳木斯一帶活動，試圖組織反蘇維埃勢力，但未成功。後來，他逃到了哈爾濱。可沒過幾個月，蘇維埃便向中國政府提出引渡，西蒙琴科大公爵不得不再次逃難。這次，他逃得更遠——逃到了歐洲。不久，他就與夫人一起死於一場莫名其妙的車禍中。有理由相信這是年輕的蘇維埃在境外組織的一次最成功的暗殺。萬幸的是，他在逃往歐洲的時候，把年僅兩歲的女兒留在了哈爾濱，不然的話，這個家族將就此消亡。兩歲的女兒慢慢長大，她根本不知道自己那獨特高貴的身世，還以為自己衹是一個普通的俄羅斯女人。在她三十三歲時，與哈爾濱的一位中學教師結婚了，生有一個兒子……』

馬亞契科上校說到這裡，停住了話頭。烏蘭諾娃有些輕蔑地笑笑問：『怎麼不說了？看來討價的時候到了，是吧？馬亞契科上校，你總是那麼會選擇時機——說吧，你要多少？』

馬亞契科上校道：『十萬美金。』

烏蘭諾娃盯視著他，很輕鬆地在支票上簽字，然後，扯下給馬亞契科上校。

烏蘭諾娃鄙夷地道：『在遠東，現在你是唯一一個敢同我烏蘭諾娃討價的人，這對你來說很不利——我不能允許在遠東有另外一種勢力同我相抗衡。這是最後一次！』

烏蘭諾娃說著點燃打火機，將那一摞資料點燃了。火苗跳躍起來，令馬亞契科上校驚詫不已。

馬亞契科上校不解地：『烏蘭諾娃小姐……難道妳就不想知道西蒙琴科大公爵的後裔是

誰嗎？』

烏蘭諾娃盯視著他，慢慢道：『他的中國名字叫莫林，今年三十六歲，畢業於清華大學，現就職於哈爾濱「天宇國際商貿中心」，任副總經理。半個月前，他偷渡烏蘇里邊境，進入俄羅斯境內，目標就是這克拉蘇山莊……親愛的馬亞契科上校，你還想知道什麼？』

哦——！這個該死的女人！馬亞契科上校感覺沮喪不已，好像又被烏蘭諾娃玩弄了一回。在她面前，似乎他衹有輸的份兒，永遠也贏不了！

『那妳花十萬美金，就買下這堆火苗？』

『你要是這樣想，那就錯了！』烏蘭諾娃盯視著馬亞契科上校，嚴厲地威脅道：『我警告你——儘管你這份資料對於我來說毫無用處，但是，我花錢買斷了——要是有你我之外第三個人知道這事，那我討回來的可就決不僅僅是十萬美金！』

馬亞契科上校看著漸漸微弱火苗，意識到失策了！顯然，莫林這張『王牌』，他沒有打好。他低估了莫林對於烏蘭諾娃的誘惑了！看來莫林的價值要遠遠超過十萬美金。

在駕車駛出克拉蘇山莊的時候，馬亞契科上校便決定重新『洗牌』，與烏蘭諾娃再賭一把！他下令手下所有的人員立即出動，搜捕莫林。他斷定，如果能將莫林控制在手，一定可以討來更大的利益！

三萬多克格勃聞風而動。他們組成了一張密密的網，從邊境線到海參崴、哈巴羅夫斯克之間反覆網來網去。對於每一個混血兒，他們都要進行祕密審查，有的還進行了跟蹤和綁架。因爲沒有莫林的照片，無法『按圖索驥』，祇能憑經驗來搜捕。好在幹這類勾當，對於他們來說不僅不陌生，而且還感到無限的樂趣，因此，個個奮勇爭先，請功邀賞。那些天，幾乎每時每刻，都有報告呈遞給馬亞契科上校，都說捕到了中國人莫林。馬亞契科上校開始還是親自審訊，可後來一錯再錯，令他實在應接不暇，不免有些焦躁和沮喪。

他連日奔波在邊境地區的山林和村落裡，心情越來越糟糕。對遠東這片土地，他非常熟悉。往事如煙。他的顯赫和輝煌已不復存在。這片土地也已失去了對他的『寵愛』了。在一種悲涼、孤寂的心境裡，馬亞契科上校開始回味他的人生。那些紛亂的往事，充滿了血腥的氣息，奔湧在腦海裡，令他時而得意，又時而懊悔。這其中，他最不能遺忘的就是那個中國姑娘——儘管她與他生活了幾年，儘管她為他生下了一個女兒，但她就是不愛他。她最終還是背棄了他。她讓他對愛產生了謎一樣的疑惑不解。到底什麼是愛？難道他活了一輩子，眞的就連愛也弄不懂嗎？

那天傍晚，他駕車途經阿烏爾『中國村』時，順路拐向了河谷旁的墓地。在幾棵粗壯的白樺樹旁，積雪覆蓋著一座透露出蒼涼的墳墓。他在墳墓前佇立了很久。默默地注視著，眼前浮現出慘烈的大爆炸後遺留下的深坑。深坑裡，散落著肉體和汽車混合的碎片。血跡斑斑。他記得他當時並沒有太多的感傷，更沒有料到這會成為他後來最為懊悔的一次謀殺。因為這次謀殺，不僅失去了那個中國姑娘，也失去了女兒的心——女兒始終不能原諒他將母親葬身於火海之中。他原來還期望隨著時間的流逝，女兒對他的仇恨能夠逐漸淡漠、逐漸消失，可事實上，並非如此。這更為他悲涼的心境，增添了哀傷——一個連女兒的愛都無法得到的人，活著究竟有什麼意義？

離開那座墳墓，馬亞契科上校駕車向卓婭家駛去。自然，他也沒有料到會在卓婭那裡遭遇到『踏破鐵鞋無覓處』的莫林！

汽車行駛到離卓婭的木克楞還有幾十米遠的時候，被卓婭發現了。卓婭非常緊張。這輛『豐田』牌汽車，雖然經常駛進這個院落，但每次帶給她的都不是歡樂，而是深深的痛苦。更何況，莫林還沒有完全康復，還在這裡。

卓婭急忙衝進屋裡，對莫林道：『莫——對不起，看來你得委屈一下了！』

卓婭打開了壁櫥。莫林也從窗戶看見駛來的汽車：『是警察？』

『比警察還要糟糕！』卓婭說。

莫林蜷縮進壁櫥，卓婭匆忙將床鋪收拾了一遍。壁櫥的拉門被莫林擠開了一條縫隙，卓婭用一張掛曆給擋上了。就在這時候，響起了馬亞契科上校的敲門聲。

卓婭沒有主動開門。她站在房廳中，怨恨地瞪視著推門進來的馬亞契科上校。馬亞契科上校看著卓婭，目光異常複雜，既愧疚自責又充滿了慈愛：『妳好嗎，卓婭？』

卓婭冷冷地看著他，卻沒有回答。

馬亞契科上校解嘲似的聳聳肩，上前擁抱了一下卓婭，然後脫下了帽子和大衣掛在了衣架上。

『能請我在這吃晚飯嗎？』

『不能！』卓婭冷冷地拒絕了。

馬亞契科上校沒有感到意外，他祇是惋惜似的看著卓婭，攤攤手，道：『看來妳還在恨我……我眞希望有一天妳能夠原諒我。即使罪孽再深，我也是妳的父親。難道妳連自己的父親都不肯寬恕嗎？』

『如果父親就是那種手上沾滿了血腥的劊子手，那我寧可不要父親！』卓婭鄙夷地說。

想起母親的慘死，卓婭的心就跟著抽搐。那是她一輩子也無法忘記的悲劇。更可悲的是，那個悲劇的製造者正是自己親生父親！

母親死後，卓婭曾經被馬亞契科上校接到克拉蘇山莊住過幾年。他對她始終充滿了父愛。但卓婭隨著年齡的增長，怎麼也無法抹去母親慘死留下的陰影。在她十五歲那年，她竟然獨自跑出了克拉蘇山莊，回到阿烏爾『中國村』。她要守候著母親，陪伴著母親，因爲她覺得母親實在太不幸了。第二天，馬亞契科上校找到了她。他開始對這件事情並沒有太認眞，祇以爲是一個嬌慣的女孩在任性罷了。可後來他意識到了嚴重性，因爲卓婭以死相威脅，發誓不再回克拉蘇山莊，不再承認他是她的父親。當時，他還惱火地抽了她一個嘴巴。可卓婭竟連眼淚都沒有流，祇是充滿仇恨地瞪視著他，說：『卑鄙的劊子手！』

以前也曾經有人這樣罵過他，但他都沒有在意。但現在，他自己的女兒，一個年僅十五歲的女孩也這樣罵他，令他震驚了。他清楚地記得當時就覺得心裡轟然塌陷，一種被粉碎被擊中被摧毀的感覺，油然而生。他知道，女兒不再屬於他的了……

卓婭擔心馬亞契科上校會發現莫林，故意轉身進了廚房。馬亞契科上校也跟了進來。卓婭一邊忙活著，一邊聽馬亞契科上校的苦求，心裡越發的焦急。壁櫥很狹窄，如果時間久了，莫林會出意外的！

卓婭實在無法忍耐下去，便從衣架上取過帽子和大衣，遞給了馬亞契科上校，冷冷地道：『你該走了！』

馬亞契科上校傷心而又失望。他慢慢穿上了大衣。看來卓婭還是不能寬恕他，這讓他非常悲傷。他從衣兜裡掏出一把鈔票，放在了沙發上。卓婭立即受屈辱似的道：『請你拿走——快拿走！』

馬亞契科上校沒有拿。他走到卓婭的近前，輕輕地在卓婭的額頭上吻了一下。他說：『祝妳好運，卓婭！』

他的目光越過卓婭的額頭，掃視了一眼沙發旁沒有來得及藏起的柺杖，會心地撇了一下嘴，然後，走了出去。那時刻，他的心緒已經由悲傷轉爲激動。他是個經驗豐富的高級特工，任何一點蛛絲馬跡，都能讓他推斷出結果來。

卓婭目送馬亞契科上校的汽車駛遠，轉回身急忙打開了壁櫥。

莫林已蜷縮得雙腿發麻。卓婭攙扶著他坐到沙發上，道：『讓你受驚了，眞對不起……』

莫林搖搖頭，問：『他是誰……眞的是妳的父親？』

卓婭不置可否，悲傷地嘆了一口氣：『這是一個恥辱，莫……雖然這樣的恥辱由不得我來選擇，但有時候我還是禁不住去祈求上帝來寬恕他吧……好了，莫，我們不要再談他了，這會讓你很掃興的。現在，我們來吃飯好嗎？』

卓婭手腳麻利地擺好了飯菜。她點燃了蠟燭，燭光搖曳出溫馨浪漫的氛圍。卓婭還調了兩杯鷄尾酒。杯子中，飄浮著兩只鮮艷的紅莓。

『你的傷快好了，我知道留不下你……你要走了，就算是爲你送行吧，莫……』卓婭對莫林道。

莫林聽了，不免有些感傷。卓婭的心緒，他不難體味。她是一個溫柔、善良、善解人意的姑娘。如果不是要去克拉蘇山莊討個明白，莫林是會願意留下來的。可是，李韵生死未卜，他又怎能留下不走呢？

『卓婭，』莫林端詳著她道：『妳是個好姑娘……好姑娘是會得到好報的。』

『莫……你說的好報是指什麼？』

『找一個愛妳的男人，有一個和睦的家庭，再加上一份寧靜的生活……不必奢求太多，不必強迫自己，平平淡淡才是眞。卓婭……這道理雖然簡單，可眞正能醒悟它的人並不多，就連我也算在內，否則，我就不會讓李韵去克拉蘇山莊工作去了……』

莫林確實感到有幾分後悔。當初是懷抱著闖蕩天下的滿腔熱血與李韵天隔一方的，總以爲未來是會償還他們。古人不是也說了麼——兩情若是久長時，又豈在朝朝暮暮？可是，結果卻又是這般負了他們的苦心。現在想起來才知道，一份寧靜平淡的生活，遠比金錢和財富要緊得多。

卓婭剛要說什麼，可忽然間，他們驚得一愣：門被重新推開，馬亞契科上校走了進來。這一次，他的身後還跟著兩位隨從。

馬亞契科上校微笑著打量著卓婭和莫林，道：『別奇怪，因爲我正在尋找莫林先生，所以就又回來了——你就是莫林先生吧？』

『是的，可我並不認識你，先生！』莫林道。

『這沒有關係——』馬亞契科上校頗爲自負地聳聳肩，道：『富有傳奇色彩的馬亞契科上校你總該聽說過吧？你很榮幸，那就是我。』

『的確榮幸。』莫林冷冷地道。

莫林心下驚異，沒有想到卓婭竟然就是馬亞契科上校的女兒。這世界是否錯亂了？難怪卓婭剛才對他那般冷淡！

『那就走吧！』馬亞契科上校向外做了一個請的手勢。

『到哪兒去？』

『莫林先生，你是個聰明人，不用我解釋你也能明白，這世上有許多事情是不該刨根問底的！』

『據我所知，克格勃已經被解散了，你也已經失去了隨意逮捕人的資格，你這樣做是違法的！』

『違法？哈——』馬亞契科上校嘲弄似的笑將起來。他看看兩個隨從，又看看卓婭，仍忍俊不住：『你們聽到了嗎？他說我是在違法……哈哈哈！莫林先生，你簡直可愛極了。坦率地說，我對那些印刷在書本上的法律條文確實陌生，因爲我覺得我自己就是法律的代表，或者乾脆點說——我，馬亞契科上校，就是法律！』

莫林憤怒地瞪視著他。遠東『惡魔的使者』，確實名不虛傳！

『還需要解釋什麼嗎，莫林先生？』

『難道在以前的幾十年裡，你們一直就是如此這般的無耻嗎？』

『你有些放肆了，莫林先生！』馬亞契科上校的目光陰冷下來。他對那兩位隨從揮揮手，又道：『給莫林先生找一個地方，讓他明白眞正的無耻是怎麼回事！』

兩個隨從隨即上前挾住了莫林，就要向外推去。這時候，卓婭忽然跳將起來，攔在了莫林和馬亞契科上校中間。她的手中緊握著一把鋒利的水果刀。她把刀尖對準了自己的咽喉。她對馬亞契科上校厲聲道：『放開他——你如果把他帶走，我就死在你的面前！』

馬亞契科上校一怔，看著卓婭，搖頭道：『卓婭……如果換了一個男人，我會答應妳的。可是，這個男人，不行！我們三萬多人馬全體出動，就是爲了尋找他……』

『那是你們的事，與我無關！我不能允許讓他失去自由！』

『爲什麼？妳總不會是愛上他了吧？』

『說對了……我愛他！』

馬亞契科上校一愣，喟嘆似的搖搖頭。簡直有些不可思議，卓婭肯把愛給予一個認識還不到十天的中國男人，對他這個親生父親，卻吝嗇得視爲仇人——世間這個『愛』字，到底誰能破解得開？

卓婭慢慢用力，刀尖已經扎入了皮肉，殷紅的血流了出來：『放開他！』

馬亞契科上校不忍再看，對那兩隨從擺擺手。莫林被鬆開了。

卓婭卻沒有罷休，仍在慢慢用力：『你們，快給我滾出去！』

馬亞契科上校哀怨地看著卓婭，最終無奈地道：『卓婭……對別人，我還沒有忍讓的習慣，但這一次，對妳……算是個例外吧！』

馬亞契科上校扭頭走了出去。兩個隨從也立即跟出。

當屋門被碰上的那一瞬間，卓婭再也無法抑制，丟下鋒利的水果刀，轉身撲進了莫林的懷裡。她渾身在哆嗦不停。莫林輕輕擁著她，感激地道：『卓婭……謝謝妳又救了我。』

『其實我很害怕，莫……眞的，我的手一直在發抖……』

莫林疼憐地爲她擦拭掉咽喉上的血跡，道：『天亮我就走，卓婭，我留在這裡，會給妳招來更大的麻煩。』

『莫……你還能回來看我嗎？』

莫林注視著卓婭那雙期待的眼睛，道：『如果我還能活著，卓婭，我一定回來看妳！』

『那我等著你……莫！』

卓婭輕輕踮起腳跟，輕輕親吻著莫林。莫林卻沒有動。儘管這溫情能融化魂魄，但它來得太不是時候了。莫林想著神秘的克拉蘇山莊，想著李韵和烏蘭諾娃，心裡充滿的祇是苦楚和焦慮。但他對卓婭這番眞情，十分感激。

『謝謝妳……眞的謝謝妳，卓婭……』

『明天我送你走……但願你能早一天回到這裡來……』

也許吧——莫林想，如果能為李韵報仇，如果能活著回來，那我一定會用百倍的眞情來回報妳的，卓婭！

第二天，卓婭開車將莫林送到了海參崴。卓婭依依不捨地同莫林分別，她很後悔沒有告訴莫林那個奇異的夢境。還有那匹搧動著雙翼的天馬。在遙望著莫林的背影漸漸消失在海參崴的巷道裡時，卓婭發覺自己流淚了。她淚水濛濛地祈禱著，願莫林能平安回來。

她當然沒有料到，半個小時後，莫林再次被捕了……

海參崴對於莫林來說，並不陌生。他曾經多次來過這裡。他非常喜歡這個海濱城市。尤其是那充滿濃郁的俄羅斯風格的街道，更令他著迷。但這一次，莫林卻無心情來欣賞，他急著要趕往克拉蘇山莊。

他走進一家餐館，要了一份罐悶餃子，匆匆吃完，便走了出去。這是他的錯誤。他不該顯得如此惶惑、不安，這引起了正在就餐的兩位警察的注意。他們跟他出來，攔住了他：『先生——請出示你的護照！』

莫林愣了一下。他下意識地上下撫摸了一遍，道：『哦，對不起，我……』

兩位警察立即嚴肅起來，一左一右挾住了他。不容莫林再分辯什麼，他們便將他推進了警車內。莫林懊喪不已。他被關進了郊外的拘留所中。他焦急地拍打著鐵欄杆，又喊又罵。可是無人來理會他。直到黃昏時分，才來了一位中尉。那是一個自負得有些蠢笨的傢伙。他看著莫林，道：『有什麼話，你可以到馬加丹再說！』

莫林吃驚了！馬加丹是遠東最令人不寒而慄的流放地。那裡是一片沼澤，周圍兩百里無人煙。來往祇能靠直升飛機運送。如果真的被送到了那裡，不僅再也不能爲李韻報仇，而且，連命也保不住。在過去的幾十年內，被送進馬加丹的犯人，幾乎沒有能活著出來！

莫林憤怒了：『你這頭蠢豬——好好看看，我，是個混血兒！我的身上也流著俄羅斯的血！這樣對待我，是不公正的！』

中尉譏諷一般地笑了笑，道：『這沒有多少意義，先生——請你看看我，我也是個混血兒，我的身上還流著中國人的血呢。可這能說明什麼？在遠東，這樣的人多了！』

『可我是去見烏蘭諾娃小姐的——烏蘭諾娃小姐難道你沒有聽說過嗎？』

中尉的神情明顯一震，這給莫林帶來一線希望。中尉問：『你是說克拉蘇山莊的烏蘭諾娃小姐？』

莫林道：『對，我要見的就是她！』

中尉搖搖頭，聳聳肩，故作聰明地說：『看來你對這裡並不陌生，可是尊敬的先生——這個謊言能欺騙別人，卻欺騙不了我！烏蘭諾娃小姐會召見像你這樣偷渡的犯人？哈！我才不會上當呢！走吧——！』

中尉幾乎是蠻橫地把莫林推了出來。拘留所的院內，一架直升飛機已經啓動。當莫林被推搡上去，艙門關閉的時候，他絕望地恨不能將該死的中尉一拳頭揍扁！

直升飛機騰空而起，向馬加丹飛去。透過舷窗，他清楚地看見海參崴在底下掠過。緊接著，便是一大片茂密的森林撲面而來。他的對面坐著兩位衛兵，虎視眈眈地盯視著他。中尉坐在前艙，竟然還不時地回頭向他張望一眼。那一刻，莫林心中的悲哀簡直無法言述。李韵不知死活，而他卻又遭此劫難，難道眞的要『走投無路』了嗎？

舷窗下又掠過了一條冰川峽谷。刀切一般陡峻的峭壁，赤裸裸地張揚著殺機。這令莫林更加絕望。他想，如果就這樣被送到馬加丹去，還不如就撞毀在這裡好！

忽然，他看見前艙內的中尉接了一個電話。是地面指揮中心打來的。中尉邊聽邊用眼睛掃視著莫林。莫林疑惑了，難道會發生什麼變故嗎？

稍頃，他發覺直升飛機轉了個彎，掉頭飛了回去。他無法猜測這究竟是因爲什麼。不過，十幾分鐘後，當直升飛機降落在拘留所的大院時，莫林釋然了。因爲他看見一溜兒九輛豪華『奔馳』車停在那裡。他知道誰來了。這是『帝國』的車隊。

中尉幾乎是惶恐地走過來向莫林道歉：『對不起先生，我沒有想到烏蘭諾娃小姐眞的會召見你……』

莫林冷冷地道：『中尉——你是個雜種！』

中尉的臉上僵硬著微笑，卻不敢鬆弛下來。

莫林看去，第三輛『奔馳』車搖下了車窗。烏蘭諾娃坐在裡面，很溫和地看著莫林。莫林逕直走了過去，鑽上了汽車。

『又見面了，莫先生，這是我們第二次見面，對嗎？』烏蘭諾娃微笑著問莫林。

莫林卻幾乎是仇視著她。

烏蘭諾娃看出來了：『你的目光很不友善——莫先生，如果不是我，你現在恐怕快要到馬加丹了。是我救了你，你應該感謝才對。』

『我太太在哪裡？』莫林逼問道。

『這個問題我們是不是一會兒再談？』

『不——我現在就想知道，她在哪裡？』莫林固執地又問。

烏蘭諾娃好像惋惜似的輕嘆了一口氣，很優雅地點燃了一支煙，吸了一口，道：『坦率地說，我也正在找她。』

『胡說！她是妳的中文翻譯！是妳的！烏蘭諾娃小姐！在遠東，如果是妳的人，除非是妳的主意，否則，怎麼可能失蹤？』

『這一次是個例外，莫林先生！』

『我不相信！失蹤前她跟我通過電話，她……要我快來救救她！』

『是嗎？那是什麼意思？』

『意思祇有一個，就是妳要加害於她！』

『我爲什麼要加害於她？』

『這還需要明說嗎，烏蘭諾娃小姐！做爲妳的翻譯，她知道得也許太多了——僅僅在五六年之內，妳就成爲俄羅斯最富有的女人，妳的財富是怎麼來的？誰都可以想像得出，飛機、坦克、航空發射器、核原料，等等等等，什麼妳沒有走私過？妳曾經不是也想把兩顆衛星賣給我嗎？』

『你小題大作了！就因爲這些我會加害於她？你也太低估了我的勢力！做這些生意，對於我合理合法，實在是算不了什麼！』

『那我太太到底哪兒去了？』莫林近乎憤怒了。

『我再說一遍，莫林先生，你太太的失蹤與我無關……而且，她根本就沒有失蹤！』

什——麼?!莫林目瞪口呆。

車隊駛進克拉蘇山莊，莫林被送到六號別墅軟禁起來。他的門口站立著兩名鐵塔般的漢子。莫林認出，他們都是烏蘭諾娃的保鏢。

他剛要出去，便被保鏢攔住了去路。他說：『我要見烏蘭諾娃小姐！』

兩名保鏢啞巴一般不吭聲！

莫林沮喪地退回來，跌坐在沙發裡。室內的裝飾不僅豪華，而且還透露出一種溫馨的氣息。客廳正中，一株盆栽的冬達花姹紫嫣紅地盛開著。一旁，是一套高級音響和一臺大屏幕的投影電視。莫林無心瀏覽，垂頭喪氣地等待著。

波波娜端著一盤西餐，步履輕盈地走了進來。莫林見她面熟，想了想，急忙問道：『妳是烏蘭諾娃的助手，是吧？』

『是的，莫先生。』波波娜沉靜地回答。

『妳叫……對了對了，妳叫波波娜！妳出生在黑河，也是個混血兒，十二歲才隨妳母親回到俄羅斯，是吧？』

『是的，莫先生。』波波娜依然沉靜地回答。

『這就好了，波波娜——妳也算半個中國人，應該幫助我！請妳通報一下，我要馬上見烏蘭諾娃小姐——馬上！』

『對不起，莫先生，不是她不想見你，而是她現在正在同北海道來的麻原秀郎先生進行商務談判，她眞的沒有時間。』

『見鬼！』莫林氣憤地一把掀翻了盤子，西餐撒了一地毯。

波波娜惋惜似的對莫林道：『這可是烏蘭諾娃小姐親自給你點的菜。莫先生，在我的印象裡，好像還沒有人能夠享受到這種禮遇。而且，烏蘭諾娃小姐還吩咐我，一定要好好招待你。』

『那她爲什麼不出面？』

『她眞的在談判——如果你還不肯相信，那麼請看。』

波波娜將投影電視的遙控器取過來，按下一組密碼，大屏幕上果然出現了烏蘭諾娃正在『貴賓廳』同麻原秀郎商談的情景。

莫林看了，無可奈何地嘆氣：『波波娜——妳肯定知道我太太的事情，是吧？』

『是的，我知道。』

『那太好了——請妳快告訴我。』

『我不能，先生！烏蘭諾娃小姐沒有吩咐過，我不能吐露任何實情。而且，我還有責任阻止任何企圖向你吐露的人。別忘了，我是烏蘭諾娃小姐的高級助理！』

『好吧好吧——那妳可不可以告訴我，我太太現在是死是活？』

『這個可以告訴你，你太太沒有受到任何傷害，她當然還活著。』

『那她究竟哪裡去了？爲什麼見不到她？』

波波娜又不吭聲了。

得知李韵還活著，莫林雖然疑慮更深，但仍還是鬆了一口氣。

李韵是莫林大學的同學，兩人雖然不是青梅竹馬，卻恩愛極深。三年前結婚時，正值邊境貿易搞得如火如荼，李韵雄心勃勃地要開辦一家大型貿易公司，但苦於資本短缺，她便隻身闖蕩俄羅斯，先探探路子。一年後，她被烏蘭諾娃選中，擔任中文翻譯。這是一個令人眼熱的職位。在這個職位上，李韵結識了不少資本雄厚的大財團和企業家，可還沒有等她利用，竟莫名其妙地『失蹤』了！

莫林絕不相信此事眞的與烏蘭諾娃無關。

夜暮降臨時分，莫林終於盼來了姍姍來遲的烏蘭諾娃。這一次，烏蘭諾娃竟然自己親手端著一盤西餐進來。她看著莫林，有些埋怨似的道：『我想你不會再把盤子掀翻了吧？』

莫林道：『如果妳不是故意在折磨我，那就請妳馬上告訴我我太太的下落。』

『能不能吃完飯再談？』

『不能——烏蘭諾娃小姐！我冒著死亡和坐牢的危險偷渡來到這裡，就是爲了尋找我太太！』

烏蘭諾娃很異樣地看著莫林，似乎有些被感動了。她幾乎用一種傷感的語調道：『這眞讓我感動，莫林先生！如果有一天我失蹤了，這世上恐怕不會有像你這樣一個男人去尋找我的。不過，你越是這樣，我越覺得你……令人同情。』

『這是什麼意思？』莫林疑惑不解。

『看來你是沒有看錄像，其實眞相就在這裡，你一按開關，一切都清楚了。』烏蘭諾娃指了指投影電視，然後，很冷靜地看著莫林。

莫林疑惑地打開開關，看看，驚呆了。他簡直不能相信自己的眼睛——這怎麼可能？怎麼……可能？

畫面上，是一張席夢思大床。床單是天藍色的，似乎蘊涵著某種隱喻。床上，一個粗壯的男人將李韵裹在身下，正在做愛。

『這個男人是誰？——是他媽的誰？』莫林紅了雙眼。他憤怒了！

『是我丈夫，莫先生。』烏蘭諾娃卻不威不怒，平靜得幾乎冷酷地道：『你上次來沒有見到他，他好像去日本了。他叫安德烈。』

『安德烈……』

莫林咬牙切齒，恨不能將安德烈從大屏幕上扯下來撕個粉碎。這個強壯如牛的混蛋，一邊向李韵衝突著一邊竟然還吹著口哨！

『莫先生，你要是願意可以一直看下去，有六個小時的精采節目可以讓你大飽眼福。他們做愛的技巧很純熟，是嗎？』

莫林卻無法再看下去。他關上電視開關，憤怒得無處發洩！

『安德烈從沒有一次這樣對待過我！』烏蘭諾娃遺憾似的撇撇嘴，又道：『他跟我在一起，總是很無能！』

莫林頹喪地抱著腦袋，痛苦萬狀。他說：『我……我不相信這是眞的——不，這不是眞的！不是！……』

烏蘭諾娃道：『那看來你還需要仔細地再看一遍。沒關係，你儘可以欣賞。不過，我不想再看了，對不起，失陪了，莫先生！』

烏蘭諾娃說著，走了出去。

莫林呆呆地坐在那裡，半天的不動。他想不通怎麼會是這樣，又怎麼該是這樣！李韵絕非是那種水性楊花的女人，這一點莫林很淸楚。可是……可是，難道那張床上會是另外一個女人嗎？

莫林懷著一絲僥倖的心理，重新打開了投影電視。錄影帶的質量極好，清晰得無法再清晰了。他看清了李韻胸窩上那個小痞子。這使莫林最後的一絲幻想隨之破滅了……是她，沒有錯，的確是李韻！

莫林一拳頭將投影鏡頭砸了下來……

莫林感到窒息，憤然走出了六號別墅。夜空正迷亂，繁星閃爍，銀河繽紛奪目。從遠處峽谷掃蕩而來的夜風，緊緊地包裹著他。他渾身在發抖，顫慄不止。對於李韻的『失蹤』，他做過種種猜測，但就是沒有想到會是這樣的結果！這個打擊實在是他難以承受的！

克拉蘇山莊已沉浸在深夜的靜寂之中，唯獨九號別墅還閃亮著燈光。莫林知道那是誰。在這般痛苦的時刻，這燈光給了莫林某種安慰。他想了想，便向那燈光走去。在門口，兩位保鏢攔住了莫林。可室內的烏蘭諾娃卻分明猜測到了，道：『來的是莫先生吧？請進來。』

莫林走了進去。

烏蘭諾娃正在翻看《風流女皇——葉·卡捷琳娜二世》。這是俄羅斯歷史上最冷酷也是最荒淫的女人。烏蘭諾娃卻讚賞一般地對莫林道：『她之所以統治了這個世界，就是因為她是個會做女人的女人！』

莫林詫異地看著烏蘭諾娃，想不透她現在怎麼還能靜下心來看書！而且，看得又是如此的認真、細緻、津津有味！

烏蘭諾娃又道：『在中國歷史上，前有女皇武則天，後有慈禧太后，她們都是非凡的女人！你知道這意味著什麼嗎，莫先生？』

莫林默然地看著烏蘭諾娃，沒有回答。

烏蘭諾娃卻自己回答了：『這意味著歷史不僅僅屬於男人，——女人也能改寫歷史！』

莫林終於忍不住了，惱火地道：『烏蘭諾娃小姐——妳應該清楚，我來不是想同妳討論什麼女皇！』

『哦……』烏蘭諾娃驚異似的微微一笑，看著發怒的莫林，竟然露出欣賞的意味：『難道你還想談安德烈和李韵？』

『是的！烏蘭諾娃小姐，我知道，在這裡妳的勢力很大，沒有人可以逃出妳的控制。所以，我想妳一定知道他們現在在哪裡，是吧？』

『莫先生，你眞讓我不解，難道你想去找安德烈決鬥，還是想找到李韵破鏡重圓？』

『我祇是想弄明白這是怎麼回事。』

『這個很容易——兩個月前，我出訪歐洲，是和波波娜一起去的。安德烈和你太太李韵留守在克拉蘇山莊。就是在這期間，他們勾搭在一起。等我回來，他們知道逃不過我的眼睛，就逃了——或者用中國話來說，是——私奔！』

『這使我感到很奇怪，妳怎麼會允許他們逃走了？』

烏蘭諾娃淡淡一笑：『因爲我覺得愛既然已經死亡，就沒有必要再保留一具軀殼。』

莫林搖搖頭，不肯相信：『沒這麼簡單，烏蘭諾娃小姐——妳能夠忍受愛的死亡，但絕不可能忍受下這樣的屈辱！』

烏蘭諾娃似乎一震，打量著莫林，半晌，微笑著道：『你很精明，莫！你說對了，這的確是個屈辱！我允許他們逃走，但並沒有允許他們逃得太遠。現在我可以告訴你，他們就在阿烏爾山中隱居著。如果你有興趣，明天我們倆背著獵槍，到阿烏爾山走一走。就我們倆去。

他們也有槍，而且還是殺傷力極大的美國進口手槍。我們去碰碰運氣。也許我們倆贏，也許他們倆贏，怎麼樣？』

『那就說定了！』

『好吧，晚安。』

『晚安。烏蘭諾娃小姐！』莫林向外走去。走了幾步，他又停下，轉身將目光落在了那本《風流女皇——葉·卡捷琳娜》上：『我勸妳以後不要再看這樣的書，這對妳沒有好處——歷史上沒有一個女皇死後不是挨罵的。』

『是嗎？』烏蘭諾娃輕聲笑道：『這倒更讓我感興趣了！』

出獵者的目標不是野獸，而是情敵

可最後被捕獲的卻是『獵人』自己——

第三章·迷失

阿烏爾山脈呈東西走向，延綿數百里，溝壑縱橫交錯。人跡罕至，充滿了古老、蠻荒的神秘氛圍。

雪野寂靜無聲。莫林跋涉在雪中，真是別有一番滋味在心頭。烏蘭諾娃走在他的前面，斜背著獵槍，顯得很沈著、冷靜。一對被遺棄了的男女，一同去追蹤背叛者，這本身就顯現出了某種人生的荒謬。莫林踩著烏蘭諾娃的腳印，一步沈似一步。

第一天，他們一無所獲。第二天，仍是一無所獲。直到第三天的黃昏，他們才發現了安德烈和李韵的蹤跡。那是在一處獵人留下的『馬架』子裡，莫林和烏蘭諾娃發現了兩雙已被磨破了的雪地鞋。品牌都不低，是從義大利進口的。這樣牌子的雪地鞋，決不會是獵人留下來的。而且看鞋號的大小，正好與安德烈和李韵相吻合。

『他們沒有走遠，就在這附近。』烏蘭諾娃邊說邊用望遠鏡搜尋。

莫林禁不住有些忐忑，就像是決戰前的一剎那。他不能預知一旦遭遇到了安德烈和李韵，結果會怎麼樣。他看看烏蘭諾娃。烏蘭諾娃相反倒是興致頗高，就彷彿是在參加一個興味盎然的遊戲。

祇是這種遊戲對於心靈來說，實在過於殘酷了！

有一點，倒令莫林敬重——烏蘭諾娃沒有食言。她眞的沒有帶保鏢，祇和莫林來了。這一路，莫林發現了烏蘭諾娃的另一面，就是性格非常剛強。這也許是她成功的基石。自從鑽進山林裡，烏蘭諾娃完全成爲了一個剛強的女人，與那種養尊處優的女皇判若兩人。

隔著一條小山谷，烏蘭諾娃從望遠鏡中發現李韵正在一處山洞旁做飯。炊煙裊裊。『找到他們了！』烏蘭諾娃興奮地把望遠鏡遞給了莫林。

莫林接過望遠鏡，看見李韵身穿著一襲天藍色的羽絨服，格外矚目。他怦然心動，這件羽絨服還是莫林給她買的。她至今仍還穿在身上，意味著什麼？

『他們好像還沒有發現我們。』

烏蘭諾娃說著，豎起獵槍，朝天放了一槍。槍聲在寂靜的山谷裡猛烈的迴盪著，震耳欲聾。莫林非常吃驚，他不明白烏蘭諾娃爲什麼要這樣做。烏蘭諾娃看他不解的樣子，解釋般地笑笑說：『我們簡直像是在偷襲，這對他們不公正。』

這世上難道還有公正存在嗎?!如果有，那也就不會出現眼前這樣尷尬的場面了。莫林暗想。

莫林從望遠鏡中看見安德烈驚慌地跑出山洞。他的手中握著一支大口徑的手槍。安德烈拉著李韻要跑，可是李韻卻好像並不情願要走，而是坐在地上。安德烈朝她的腳旁開了一槍，李韻驚嚇地跳將起來。安德烈簡直形同綁架，拉起李韻隱進了密林中去。這個雜種！莫林咒罵起來。他看得很淸楚，李韻的目光裡充滿了哀怨。

當烏蘭諾娃和莫林趕到山洞的時候，安德烈和李韻早已無蹤無影。烏蘭諾娃走進山洞。裡面顯然還沒有來得及收拾，安德烈和李韻的行囊都丟棄在裡面。山洞的正中，燃點著一堆篝火。火勢正熱烈。架子上烘烤著一隻野兎子和半隻野狍子，已經散發出誘人的香味。一只鋼盔充當了鐵鍋，裡面融化著雪水。

烏蘭諾娃走進去，坐下來，點燃一支煙，看著，解嘲似的說：『你瞧，他們的日子過得很不錯。』

莫林看著篝火，眼前卻閃現出李韵那哀怨的目光。

莫林說：『走吧。』

烏蘭諾娃卻搖頭：『莫，我突然覺得這很無聊——他們倆和我們倆都很無聊。在你和李韵之間，在我和安德烈之間，愛已經不存在了，已經死亡了，這是個殘酷的現實，不容我們來選擇。既然如此，我們這又是何必呢？即便追蹤到了，又能怎麼樣？除非是殺了他們，不然，我想不出還能有什麼結果能消弭你我心中的仇恨。』

莫林有些吃驚地看著烏蘭諾娃。這個女人對於她自己以外的世界來說，始終是個不解的謎。她確實是個天才的演員，不但是在攝像機前，不但是在水銀燈下。她幾乎是每一時刻都在粉飾著自己。

『這可不像是妳了，烏蘭諾娃小姐。』莫林說。

烏蘭諾娃聽出了莫林話中的意味，矜持地一笑，道：『你並不眞正了解我，怎麼敢說像或者不像？』

『至少在我以前的印象裡，妳不屬於那種柔情的女人。』

『哈——這麼糟糕？不懂得柔情，可是女人最大的缺憾！』

『哦，不——也許我沒有表達淸楚，我是想說……』莫林想選擇一個合適的比喻，但最終還是沒能夠找準。烏蘭諾娃究竟是個什麼樣的女人，這一點，他心裡似乎比較淸晰，可一旦眞的要用語言來表達，就顯得語言貧乏無味了。烏蘭諾娃常常讓人吃驚，常常讓人不可思議——可這能算是她的優點還是缺憾？

天漸漸黑沈下來。莫林也百般無奈，看來今天是不能繼續追蹤了。他解開背囊，放在了李韵和安德烈的『床舖』上。這個『床舖』很獨特，基本上是用獸皮鋪就的，就連兩只枕頭都是用野兎子的皮塞進些榛子做成。他們臥伏在床頭，猶如兩隻野兎子蹲伏在那裡，隨時準備逃遁似的。這讓莫林感到悲涼。別人上山出獵，追尋的目標是野獸，而自己卻相反，追蹤的卻是情敵！

山洞外傳來了一聲野狼淒厲的嚎叫，似在尋找迷失了的家園。篝火在噼啪作響。莫林添加了一把木拌子，火勢更力旺盛。山洞裡充滿了溫暖。

烏蘭諾娃一邊準備晚飯，一邊讚嘆似的道：『這裡眞像是兩隻小鳥的愛巢，是吧？充滿了溫馨浪漫的情調，如果是來度假，倒是別有情趣。』烏蘭諾娃被篝火輝映著，如同一尊高貴的塑像。

莫林道：『可有時候，愛巢和死亡的墓穴祇有一步之遙……。』

『對於我們？哦，不，莫，我們會贏的，安德烈不過是個三流的導演，他的把戲我很清楚。』烏蘭諾娃顯得十分自信：『我是在莫斯科電影藝術家協會認識他的。第一次見到他，我就知道他將永遠拜倒在我的腳下。坦率地說，我嫁他是我今生中最大的錯誤。可那時候還年輕。年輕的時候，眞的不懂得什麼是愛！』

這樣的錯誤，雖然很令人遺憾，但對於世間絕大多數的人來說，好像又是不可避免的。年輕的時候，能弄懂什麼是愛，什麼是不愛的人畢竟不多。以爲眼淚加初吻再加呢喃細語就是愛情了，其實後來才發覺根本就不是那麼回事。

莫林即便現在仍還困擾在愛或者不愛之中——他以爲李韵是愛他的，可是，她和安德烈又是怎麼回事呢？

烏蘭諾娃和莫林草草吃了晚飯，便準備安歇。幾天的跋涉，實在讓他們疲乏。篝火依然在熱烈地噼啪作響。烏蘭諾娃走到『床鋪』前，收拾了一番，然後，端詳著莫林。她暗自竊笑。莫林顯然眞的相信她是來陪他追蹤安德烈和李韵的。其實根本就不是。這次上山出獵，烏蘭諾娃的目標十分明確，不是別人，就是莫林！對於這一點，烏蘭諾娃信心十足。儘管莫林是個不尋常的混血兒，但畢竟是個男人。是男人的人還能不拜倒在烏蘭諾娃的腳下麼？

莫林坐在篝火邊，沈思默想著。

『你在想什麼？』烏蘭諾娃問。

莫林帶著憂傷的語調說：『他們現在在做什麼？』

『天知道！也許是在做愛吧。安德烈是個性欲旺盛的傢伙，即便是在雪地裡過夜，他也不會輕易地放過李韵的。』

莫林的眼前立即浮現出錄影帶上的鏡頭。心底的憤怒再次被點燃了，血脈倏忽間鼓脹起來。這是個不可饒恕的罪孽，就彷彿是莫林心中的一塊極珍貴的水晶被人戳碎了，而且碎得一場糊塗！

莫林的情緒變化，逃不過烏蘭諾娃的眼睛。她知道他在想什麼。烏蘭諾娃就是要激怒莫林，祇有這樣才好控制他。

烏蘭諾娃輕輕笑了笑，然後含情脈脈地招呼著莫林：『莫──你又在煩惱了，是吧？算了，不要去想他們──你過來！』

莫林看著她，以爲她有什麼事情，起身走到了『床鋪』邊。走近了，莫林不由得愣然，因爲他從烏蘭諾娃的眼睛中看到了屬於女人的柔情。他無法分辨這是她的眞實還是在演戲。

『其實哪個女人不懂得柔情？』烏蘭諾娃嫵媚地道：『莫……上來吧，今夜的柔情屬於你的了。』

烏蘭諾娃雙頰竟然泛出了紅暈，在篝火的映照下，顯得格外動人。可莫林不知怎麼的，心裡卻感到迷茫。遲疑間，烏蘭諾娃已抓住他的手，摟住了莫林，很溫柔地吻了起來。莫林恍惚走進了一個殘破的夢中，周圍的一切也虛幻得張牙舞爪，他渾身滾過了一陣顫慄。

烏蘭諾娃感覺到了：『哦……莫！你在發抖，是冷嗎？』

是冷嗎？也許是，是心冷！莫林有些哀傷地想。

烏蘭諾娃解開了衣釦，風情萬種地誘惑著莫林。莫林看清了她雪白的肌膚。他感到了更強烈的虛幻。他慢慢拉上了烏蘭諾娃的衣服，微笑著搖搖頭：『不——烏蘭諾娃小姐，不……』

烏蘭諾娃驚驚地一愣，她絕沒有想到莫林會拒絕。她疑惑地看著莫林：『莫……你是說……不？』

莫林點點頭：『不，烏蘭諾娃小姐，我們不該這樣！』

烏蘭諾娃慢慢鬆開了手。她費力地抿抿嘴，端詳著莫林，目光漸漸變得惱怒起來。她屈辱地抓起一只『兔子枕頭』，不由分說砸在了莫林的身上：『那你還站在這裡幹什麼？——快滾！』

『兔子枕頭』滾落到篝火邊，稍頃被引著了。山洞裡彌漫起嗆人刺鼻的氣味。野榛子一個個在爆裂，噼啪噼啪地亂響一通。莫林看著被氣得哆嗦的烏蘭諾娃，心裡十分落寞。他似乎想安慰她幾句，但動動嘴唇，卻什麼也沒有說出。他轉身走了出去。

雪夜極是空茫。雪野寂靜無聲。蒼老的林間不時滾過一陣陣低沈的林濤聲。莫林煩悶地向遠處走去。踏在雪野上，一步沈似一步。他不相信烏蘭諾娃會眞的喜歡他，頂多是對安德烈和李韵的一種報復。可這樣的報復在莫林看來，不僅毫無意義，而且還有些卑劣的成分。莫林無法接受。

前面的林子密了起來。莫林剛要轉身回去，突然，他感覺到腦袋被重重地擊了一下，接著便是一片昏眩，天旋地轉的搖晃著倒下了。他想像不出襲擊者會是誰。在這樣一個雪夜中來襲擊他，那可需要驚人的膽量的……

自從莫林走後，卓婭便在痛苦中熬盼著，好像莫林將她的魂魄一同帶走了一般。她無法自拔。尤其是到了夜晚，寂寥的小山村，除了偶爾響起一兩聲狗叫，便沈入了死寂之中。那時，卓婭便孤獨空落得直想流淚。

她無法入睡；更無法抑制她對莫林的思念與牽掛。她自己都說不淸這究竟是怎麼回事。

難道就因爲莫林釋然了她那個怪誕的夢境？不，當然不僅僅是！在莫林的身上，飄逸出一種說不清但能感覺到的男人的魅力，那是無法抗拒的魅力，卓婭知道她是被這種魅力吸引的。

那天晚上，她正站立在窗戶前，向外遙望，幻想著莫林的出現。窗外是一片遼闊寂靜的雪野，在月夜下坦蕩無垠。忽然，她的目光呆愣了，因爲她看見不遠處走來了一隻黑熊——是黑熊老喬！肯定是他！

卓婭打開門，不由得更加吃驚，黑熊老喬扛著莫林走了進來。他將莫林丟到地毯上，對卓婭道：『我跟蹤他三天了——我知道妳在想他，所以就把他搶來了。他是跟……一個女人一起上山的！』

黑熊老喬沒有說明那個女人就是烏蘭諾娃。他怕驚嚇著卓婭。卓婭見地毯上躺的眞是莫林，又驚又喜，急忙蹲下身察看。黑熊老喬道：『我怕他亂出聲，就給了他一下——沒關係，他馬上就會醒來的！』

果然，稍頃，莫林動彈了幾下，醒轉過來。他眨眨眼，簡直無法相信這是眞的，面前蹲著看他的竟然是卓婭！

卓婭首先替黑熊老喬道歉：『對不起，莫……』

莫林感到莫名其妙。他欠起身，再看看，明白了，因爲黑熊老喬沒有走，坐在沙發上用沈沈的目光打量著莫林。莫林問：『黑熊老喬……是你把我扛到這裡來的？』

黑熊老喬沈默不語。莫林也感覺到這句話問得有些多餘。

莫林揉揉依然在昏沈沈、發脹的腦袋，又問：『爲什麼？』

黑熊老喬甕聲甕氣地道：『卓婭大了，她該結婚了。』

莫林一愣：『就因爲這個？』

黑熊老喬忽然惱火起來，道：『難道就因爲這個還不夠嗎？混帳！自從你上次走後，卓婭每天都在等你回來，這我看得出來！我不能讓她繼續遭受這份折磨了！』

莫林驚異地看著卓婭，好像要從卓婭的臉上來尋找答案。卓婭沒有感到難爲情，而是眞的閃現出一種渴求的目光來。

黑熊老喬掏出一把鋒利的獵刀，朝莫林晃了晃，問道：『黑熊老喬做事從不拖泥帶水，我也希望你也能一樣——你痛快點說，是留在這裡跟卓婭結婚還是不？』

莫林苦笑笑：『如果眞能有卓婭這樣的太太，那是修來的福氣，可是……』

黑熊老喬不耐煩地打斷他的話：『沒啥可是不可是的——如果你願意，就留下，如果不，那就跟我走，別弄髒了卓婭的家！』

黑熊老喬盯視著莫林。

莫林沈吟著道：『至少我現在還不能死。』

黑熊老喬滿意似的點點頭：『這就對了……』

他將獵刀收起來，套上『黑熊頭套』，走了出去。

卓婭端來一杯咖啡，莫林喝下，覺得暖和一些了。卓婭柔聲地問：『莫……你太太的事處理完了嗎？』

莫林搖搖頭。

『爲什麼？遇到麻煩了？』

莫林道：『我以爲她是被害了，可是沒有，她……還活著！』

卓婭呆愣了一下：『你太太……還活著！』

卓婭的神情很複雜。這結果出乎她的意料。她也同莫林一樣，根本不相信李韵會在克拉蘇山莊『失蹤』。如果找不到李韵，那一定是被害了。可現在……李韵還活著！卓婭一邊爲莫林高興，一邊又爲自己悲哀。

『莫……這麼說你找到你太太了？』

莫林又搖搖頭：『沒有——她跟一個男人——私奔了。』

『哦……』卓婭又感到意外，發愣地看著莫林。

莫林痛苦地道：『卓婭……我始終沒有想明白這到底是怎麼回事！總覺得這其中有一個陰謀！我一定要弄個水落石出……』

『這我能理解……莫。』

莫林自認爲還算是個剛強的男人，但在卓婭溫柔的目光注視下，心中的悲涼竟然潮湧似的撞擊著。他這才明白，男人有時候也很脆弱，也需要心靈的慰藉。

從越境到現在，莫林感到身心疲憊不堪。他幾乎每時每刻都處在了漩渦中心。他沒有放鬆的時機。衹有到了卓婭的面前，他才感覺到不必擔心什麼。他相信卓婭，相信她不會爲了某種利益出賣他。相反，卓婭還會保護他。

當一個男人『落魄』到了需要一個柔弱的女子來保護的時候，心中自是充滿了悲哀。

莫林看著卓婭，眼睛竟然濕潤了。

卓婭安慰似的輕輕摟過了莫林，輕輕撫摸著他的頭髮：『那你準備怎麼辦？』

莫林痛苦地說：『我想我應該找到他們，問個明白……我不能這樣就算完了。』

『這是你應該做的，莫！也許……你太太是被迫的，她現在正等待你去救她……』

哦——？會是這樣嗎？

『你累了，莫——好好休息，明天再接著找去……』卓婭說著，溫柔地按摩著莫林的肩背。莫林把頭靠在卓婭的懷裡，默默地享受著這份溫情。稍頃，莫林感覺到眼角癢癢的，流下了淚水。卓婭替他擦拭掉，道：『莫……我真的羨慕你太太。』

莫林道：『可她現在卻跟另一個男人私奔了……。』

天剛亮，莫林和卓婭就被屋外的吵鬧聲驚醒了。他們走出來一看，黑熊老喬橫著獵刀正阻攔著一個女人。那女人不是別人，正是烏蘭諾娃。

烏蘭諾娃看見莫林，寬慰似地笑道：『還好——總算找到了，我還以爲你又越境回國了呢！』

黑熊老喬把眼一瞪，道：『烏蘭諾娃小姐，我勸妳別再糾纏這個男人！我不會放他走的！』

烏蘭諾娃看著他：『我想你就是那位傳奇人物黑熊老喬吧？你還活著眞讓我吃驚！不過，最吃驚的應該是馬亞契科上校！我簡直不能想像一旦他知道你還活著會怎麼發瘋！』

黑熊老喬道：『妳還不至於卑鄙到要去告訴他吧？』

烏蘭諾娃淡然一笑：『那當然——烏蘭諾娃怎麼會墮落到與馬亞契科上校同流合污？不過，你這樣倒很令我敬重，能夠從馬亞契科上校手裡逃生的人大概祇有你一個吧？』

黑熊老喬不置可否地看著烏蘭諾娃。

烏蘭諾娃又道：『可我實在不明白，你留下莫林先生想幹什麼？』

『烏蘭諾娃小姐……』黑熊老喬的語氣軟了下來，似乎在祈求著烏蘭諾娃：『妳什麼都有了，金錢、名譽、地位等等等等，應有盡有了。可是，卓婭卻什麼也沒有。把這個男人留給她，也算妳積了一份功德吧……』

『卓婭？』烏蘭諾娃故作驚異地上下打量著卓婭：『妳就是阿烏爾「中國村」的女教師卓婭？』

卓婭點點頭。

『我在報上看過介紹妳的文章，我很欽佩妳！妳好像還呼籲社會給予支持，想建一所正式的小學校，是嗎？』

『是的，很遺憾，響應的人太少了，也許人人都在忙。』

『那這所小學校就由我來捐款修建吧——大約需要多少錢？』

『需要三千萬盧布。』

『最好不要用盧布來計算——每分鐘都在貶值，沒法衡量，還是用美元吧。』

『需要八千美元。』

『好吧，那我加十倍——給妳八萬美元，修建一個標準比較現代的小學校，怎麼樣？』

『謝謝妳，烏蘭諾娃小姐。』

『不必客氣——卓婭小姐，我用八萬美金來交換莫林先生，怎麼樣？』

卓婭不卑不亢地道：『莫林先生有他自己選擇的自由。』

『那我想他肯定還是要跟我走的，是吧，莫林先生？』

莫林沈默地看著烏蘭諾娃。他知道烏蘭諾娃的含意，如果違拗了她的願望，那不僅會給卓婭帶來災難，連黑熊老喬也得遭殃！再說，他還想繼續追尋安德烈和李韵。

這時候，一架直升飛機徐徐飛來，停在了小院上空。梯子放了下來。烏蘭諾娃頭前走了。

莫林擁抱了一下卓婭，道：『卓婭……多保重！除非我死了，祇要我還活著，一定會回來看妳！』

卓婭淚眼婆娑地：『莫……我等著你回來！』

黑熊老喬見了，非常失望，禁不住痛罵道：『混帳——難道你非走不可嗎？』

莫林道：『老喬……我有我的苦衷，希望你能理解我。』

『那你遲早會後悔的！』黑熊老喬道。

莫林嘆氣，點頭：『說得對，老喬，我想遲早我會後悔的——但人活在這個有些骯髒的世界上，有時候必須得去後悔一次，才不至於後悔終生！我現在就是這樣。』

臨上飛機，莫林忽又回轉頭，看去，卓婭站在雪地上，滿是眷戀地望著他。他心裡忽然湧上一陣悲哀，爲自己，也爲卓婭……

在飛往克拉蘇山莊的半個小時裡，烏蘭諾娃沒有說一句話。她坐在機艙舷窗的旁邊，一動不動地俯瞰著飛機下被積雪覆蓋著的蒼莽群山，神情顯得異常冷漠。莫林沒有驚動她。經過這一路的磨纏，對於這個女人，莫林有了更深的了解。她比他原來所想像的還要複雜、有心計得多。莫林總有一種奇怪的感覺，就好像在烏蘭諾娃的周身四處，暗伏著無數的陷阱，每走一步，都有陷進去的可能。

直升飛機降落之後，烏蘭諾娃頭也沒回，鑽進『奔馳』車，直接回到了她的九號別墅。莫林愣了愣，一種被冷落的感覺油然而生。波波娜沒有安排他回到六號別墅，而是去了克拉蘇山莊後面的小教堂裡。雖然沒有明說，但莫林清楚，他再次被軟禁了。很顯然，烏蘭諾娃是要他在這裡進行『反省』和『懺悔』。祇不過沒有牧師陪伴罷了。

波波娜每天都來一次，問莫林有什麼要求。莫林說，如果可以，請妳轉告烏蘭諾娃小姐，我要見她！波波娜對此既不拒絕也不答應，祇是意味深長地笑笑。眞是『強將手下無弱兵』，波波娜也不是那種容易對付的女人。

莫林在冷落中備受煎熬。他每天黃昏都要站在小教堂外的欄杆旁，看夕陽下憂傷的風景。風鈴飄搖著發出寂寞的聲響。鴿群在盤旋著尋找回家的路。遠處起伏蜿蜒的山巒，融進了沈沈的暮色之中，平添了許多沈悶寂寥的氣息。就是在這樣的氛圍裡莫林被激怒了。現在，他不但對安德烈咬牙切齒，對烏蘭諾娃也咬牙切齒。因爲七八天過後，烏蘭諾娃仍沒有允許莫林見她，好像她已經遺忘了莫林的存在似的。這對於莫林來說，顯然是個無法漠視的屈辱。

第九天的黃昏，波波娜又來到小教堂，仍像往常一樣微笑著詢問莫林有什麼要求。莫林冷笑道，這一套我已經厭煩了，波波娜小姐，難道妳還有興趣繼續下去嗎？波波娜卻不卑不亢地道：當然，如果是烏蘭諾娃小姐需要這樣！

『她是你們的女皇，但不是我的！她這樣對待我，簡直是無禮！』莫林憤怒了。

波波娜聳聳肩，道：『儘管如此，但你還得服從她的安排，這由不得你來選擇！』

莫林譏諷地冷笑兩聲，然後大步向小教堂外走去。波波娜急忙攔他：『莫先生，沒有烏蘭諾娃小姐的允許，你不可以離開教堂的。』

莫林道：『見鬼去吧！——波波娜小姐，還有妳！』

莫林頭也不回地向九號別墅奔去。他的胸中膨脹著怒火。很奇怪，竟然沒有警衛來攔他。當他闖進九號別墅時，烏蘭諾娃正神態安詳地在看那本《風流女皇——葉·卡捷琳娜二世》。

莫林一把奪過書來丟到了一旁：『烏蘭諾娃小姐，我每天都要求見妳，可都被妳拒絕了，妳能解釋這是爲什麼嗎？』

烏蘭諾娃冷冷地看著他：『你每天都要求見我，難道有什麼事情需要我幫忙嗎？』

莫林一下子被噎得啞然。烏蘭諾娃的神態和語氣眞有些拒人於千里之外。這更加激怒了莫林。他說：『這不是外交場合，妳用不著跟我使用外交辭令！妳當然明白我爲什麼要見妳——難道安德烈和我太太的事情就這麼算完了嗎？』

烏蘭諾娃鄙夷似的哼了哼：『一個背棄你的女人，讓你牽腸掛肚，而我，卻被你羞辱！』

『羞辱……？』莫林沈吟了一下，道：『難道妳指的是山洞裡那個夜晚？』

『是的，莫林先生——世上有多少男人拜倒在我的腳下，而你，竟然拒絕了我——這對我來說，是個無法忍受的傷害！』

烏蘭諾娃也動怒了，怨恨地盯視著莫林。莫林恨不能撲過去抽她一個耳光。他忍了忍，充滿恨意地道：『那好吧，烏蘭諾娃小姐，如果妳眞的覺得那對妳是個傷害，我現在向妳道歉！既然妳不想再追究安德烈和我太太的事情，那我也沒有必要繼續留在這裡了——再見！』

莫林說著就要向外走去。烏蘭諾娃冷冷地喊住了他：『站住——你要去哪兒？』

『妳不找，我自己找去——反正這該死的克拉蘇山莊我是不想再住下去了！』莫林道。

烏蘭諾娃冷笑兩聲，然後充滿譏諷的意味，道：『莫，你有時候天眞得可愛——你不想想，沒有我的允許，你能走出克拉蘇山莊嗎？』

『那妳想怎麼樣？』

『莫——我絕不會允許一個拒絕我的男人，逍遙在遠東，那會損害我的形象和聲望的。小教堂的下面有一座地下室，我已經讓波波娜派人收拾好了，那裡面祇有一臺電視機，它永遠放的是同一盤錄影帶，你當然應該知道是哪一盤了。今天是你最後一次見到我，以後，你將在那間地下室內度過餘生！』

烏蘭諾娃冷酷地說著，竟然向莫林伸過手來：『莫——現在連再見都用不著說了，握握手，就算是告別吧！』

莫林驚愣住了。烏蘭諾娃做出這樣冷酷無情的安排，是他沒有想到的。在一間地下室裡打發餘生，那該是怎樣的折磨，莫林不敢想像。但他清楚，這個冷酷的女人，絕對可以做到這一點。

莫林再也忍不住了，他撲將過去，抓住了烏蘭諾娃的雙肩，發狂地搖晃著道：『妳是故意在折磨我——對嗎？妳以爲妳是誰？上帝還是聖母馬利亞？』

烏蘭諾娃好像沒有防備，睡衣掉落下來，裸露出雪白的肌膚。渾圓的膀頭和高聳的胸脯，飄逸出豐韻的誘惑。一種征服的欲望在莫林的心底燃燒起來。他發狠似的一把將烏蘭諾娃扯進了懷裡，然後，不由分說將烏蘭諾娃貼身的幾件小零碎全都撕扯下來。烏蘭諾娃先是掙扎了幾下，稍頃便就勢摟緊了莫林。莫林抱起她，走進了臥室，把她丟到了床上。沒容烏蘭諾娃允許或者拒絕什麼，莫林已將她碾壓在身下。莫林狂怒地發洩著，好像要把心中的鬱悶統統撒向烏蘭諾娃。從教堂那邊傳來了風鈴聲，叮噹叮噹，鼓噪不已。夜已深，峽谷的風，掃蕩而來，捲走了烏蘭諾娃快活的呻吟聲……

當莫林翻身下來，烏蘭諾娃醉迷地依偎進莫林的懷中，溫順得猶如一隻小猫。她撫摸著莫林的脊背，道：『莫……你比安德烈還要強壯、猛烈……這就對了，莫！我知道你會是個很有味道的男人！』

莫林緊閉著眼睛，一動不動，周身湧起的燥熱，在慢慢消隱。

烏蘭諾娃爬起身，風情萬種地用頭髮撩撥著莫林：『莫……你是不是以爲小教堂的地下室眞的被收拾好了？……其實並沒有！』

莫林愣了一下：『妳在騙我？』

烏蘭諾娃開心地笑道：『莫——你是鬪士，不激怒你，你是不會應戰的，是吧？』

莫林看著烏蘭諾娃，心中忽地湧出一片悲哀。他這才明白，其實被征服的並不是烏蘭諾娃，而是他莫林！

這一切肯定是她早就計畫好了的，包括上山打獵，包括山洞那個夜晚，包括今天，包括現在……莫林本來是做一回『獵手』的，可最終被『捕獵』的卻是他自己！

他有些發怒地再次將烏蘭諾娃掀翻了……

轉天早晨，當波波娜小姐進來送早餐的時候，烏蘭諾娃和莫林還沒有起床。莫林靠在床頭，烏蘭諾娃依偎在他的胸脯上，令波波娜小姐驚訝不已。

烏蘭諾娃對莫林道：『我們讓可愛的波波娜小姐吃驚了。是吧？』

波波娜穩穩神，問道：『烏蘭諾娃小姐，是不是需要再加一份早餐？』

『當然了，波波娜小姐。』

『以後呢？』

『以後的每天早晨都需要兩份早餐。』

『好的，我這就去安排。』

波波娜剛要走出，卻又被烏蘭諾娃叫住了。烏蘭諾娃問：『安德烈和李韵小姐現在「旅行」到了哪裡了？』

『在堪察加半島。』波波娜道。

『他們的蜜月也太長了吧？妳去安排一下，過幾天我和莫就去堪察加半島，當面向他們賀喜——他們也應該向我們賀喜，是不是，莫？』

莫林愕然：安德烈和李韵其實一直都被烏蘭諾娃掌握在手中！

男人被閹割了，會溫順地去做太監
而女人被『閹割』了，卻會更加瘋狂——

第四章：天殺

克留赤夫火山地處堪察加半島的中部，在東經一六二度和北緯五六度的交叉點上。這是一座活火山，終年彌漫著粉紅色的煙霧。煙霧中，混合著大量的灰塵，是從火山裡帶出來的。烏蘭諾娃告訴莫林說：如果你幸運的話，會在這種粉紅色的煙霧中尋找到寶貴的鑽石——是天然的鑽石！莫林卻道：我從來就不知道幸運是什麼。烏蘭諾娃聽了，故作吃驚狀，說：莫，難道你現在還不感到幸運嗎？莫林看著她，認眞地道：不——一點兒也不！

說這話時，他們正在火山腳下的『火山遊獵場』裡騎馬。這座遊獵場是烏蘭諾娃前年才買下來的，隨即進行了重新規劃和建設，現在已成爲遠東最具誘惑力的度假勝地。名爲遊獵場，可實際上滑雪場、滑冰場、酒店、影劇院甚至賭場，各種娛樂場所幾乎應有盡有。當然，能夠到這裡來享樂的絕非是平民百姓，而是俄羅斯的達官貴族。能夠擁有一張『火山遊獵場』會員證，已經成爲遠東最時髦的追求，也是一種高貴地位的象徵。這恐怕就是烏蘭諾娃的精明之處：可以點石成金！

烏蘭諾娃和莫林比原定計畫遲了近半個月才到達堪察加半島。沒有什麼特殊的原因。在這半個月之中，烏蘭諾娃放棄了生意上所有的機會，整日與莫林廝混於床上。她太沈溺了，沈溺得讓莫林感到吃驚。她對莫林說：因爲你我失去了至少幾百萬的收入。莫林相信這是實情。

莫林的心中一直糾纏著安德烈和李韵。在他幾次催促下，烏蘭諾娃才同他一起來到了這裡。他無法猜測烏蘭諾娃會用什麼辦法去找到安德烈和李韵，但他知道，這對於烏蘭諾娃來說，並不是個難事。在遠東，她可以爲所欲爲。

堪察加半島冬天的景色實在讓人著迷。那些飛旋的粉紅色的煙霧，繚繞在林間和獵場，給人一種虛幻的感覺。就彷彿是在夢中的天堂。尤其是騎在馬背上，信馬由繮地在獵場的林間散步，眞的是意味無窮。

『這裡的景色的確很美。』莫林不由得讚嘆道。

『還有一處好風景你沒有看到，』烏蘭諾娃炫耀一般地說。『前邊有一個奇怪的水潭，長寬都不過百米，水深卻十幾米，無論冬夏都不乾枯。這本身就夠奇特的吧？更奇特的是，冬天結冰的時候，晚上會從冰面下傳來一陣陣笑聲，像是底下有人在開熱鬧的晚會。』

『還有這種奇事？』莫林不肯相信。

『你要是不肯相信，那現在我們就去看看。』

莫林和烏蘭諾娃出了樹林，來到一座山崖口。勒馬站住，向下看去，莫林突然驚呆了：確實是有那樣一座水潭。已經冰封了的水潭上被鑿開了兩眼窟窿，霧氣昭昭地溢出水來。有兩個人被吊車吊在半空，正拚命地掙扎著。再仔細看，那兩個人不是別人，正是安德烈和李韵。李韵仍還穿著那件天藍色的羽絨服。安德烈看見烏蘭諾娃，忽然大罵道：『臭婊子！——妳騙了我！』他的神情充滿了悲憤。李韵扭頭看見了莫林，先是一愣，接著便大喊：『莫林——快救救我！』

烏蘭諾娃冷笑著輕輕揮了一下手，彷彿是在驅趕著一兩隻在眼前亂飛的蚊蠅。吊車手見了，馬上鬆開了『翻斗』的手柄，安德烈和李韵悠忽間相繼栽入了冰窟窿裡。

莫林大驚失色，慌忙猛夾馬肚子，要趕過去救助，可是卻晚了，隨著一聲轟然巨響，從水潭底下爆炸了。整個冰面炸得粉碎。莫林看見幾塊天藍色的布片飛向了天空。

莫林扭頭瞪視著烏蘭諾娃。烏蘭諾娃好像無動於衷，祇是看著湧動著碎冰塊的水潭，冷酷地道：『莫，這下我們可以釣魚了。』

莫林跳下馬，撲過去將烏蘭諾娃從馬上揪下來，發瘋一樣質問道：『妳……妳，妳爲什麼要這麼幹?!』

烏蘭諾娃好像挺奇怪地看著莫林，道：『莫，難道你還在等待著與李韵破鏡重圓?』

『可無論如何，也不該對他們下這樣的毒手!』

『眞看不出你還這麼仁慈——莫!你讓我有些失望了!』

『妳、妳眞是一個狠毒的女人!』

烏蘭諾娃厲聲道：『莫——你放肆了!你以爲你是誰?你以爲你現在就可以同我這樣說

話嗎？不要忘記了，這裡的主人是我而不是你，該怎樣做由我來決定！』

烏蘭諾娃生氣地轉身走了。

莫林慢慢走下斜坡，步履沈重地向黑水潭走去。笨重的吊車轟隆隆從他的身邊開走了。那上面的駕駛員竟然還衝他打了個響指。他沒有搭理。他獨自來到水潭邊，看到水潭裡翻出血紅的水。

一塊天藍色的布條掛在了枝椏上。莫林伸手給摘了下來。布條上血跡斑斑。莫林心如刀絞。不管怎麼樣，李韵是他第一個愛上的女人。他不能忘懷她的柔情，不能忘懷她所帶給他的歡悅。李韵就這樣消失了，從此這個世上再也不會出現她的身影，再也不會流淌她的眼淚，再也不會飄蕩她的歌聲了。一個活生生的人竟然眨眼之間消失得無影無蹤。

莫林彷彿被抽去了筋骨，癱軟地坐在了黑水潭邊。他盯視著被炸裂的冰塊，哀哀地想，從此以後，這裡夜晚再出現的也許就不會是笑聲，而是一陣陣哭泣的聲音了。

天色慢慢暗將下來。粉紅色的煙霧依然在繚繞著。莫林守候在黑水潭邊，悲痛得簡直無法站立起來。現在，他更加懷疑這是個陰謀。如果他的懷疑得到證實，那麼李韵和安德烈無疑就是這個罪惡陰謀的犧牲品。而且他還感覺到，這個陰謀正是衝著他來的。

這時候，有人來到了他的背後。莫林還以為是烏蘭諾娃，扭頭恨恨地瞪去，來的卻是波波娜。波波娜解釋說，是烏蘭諾娃讓她來的，以防莫林發生意外！

『意外已經發生了——除了死亡，還能有什麼意外？』

波波娜安慰似的對莫林道：『莫先生……烏蘭諾娃小姐之所以這樣做，其實也是為了你。』

『讓我親眼看見自己的太太被炸死了，還說是為了我？』

『如果不是因為你，也許……他們還活不到今天。』

『妳這是什麼意思？波波娜小姐，難道烏蘭諾娃存心讓我親眼目睹這悲慘的一幕，是吧？』

『她以為你會仇恨你太太的，可是……看來你並沒有。』

『她是被害死的……是被一個陰謀害死的，這我看得出來！』

波波娜一驚，問：『你為什麼要這樣想？』

莫林看著她，恨恨地道：『遲早我會把這個陰謀給揭穿的！』

波波娜呆愣地看著莫林。半晌，才道：『烏蘭諾娃小姐請你馬上回去——一會兒有一位重要的客人來訪，烏蘭諾娃小姐知道你心情不好，她不希望你被客人看到。』

『讓她見鬼去吧，我不走！』

『不，莫林先生，你必須走。』

雖然是溫柔的聲音，但卻充滿了威脅的力量。莫林看去，波波娜的身後出現了兩名烏蘭諾娃的保鏢……

來的那位重要的客人，便是和藹慈祥的約翰遜律師。

約翰遜律師充滿父愛地擁抱了一下烏蘭諾娃。他端詳著烏蘭諾娃，道：『我的孩子，妳總是這麼迷人。我要是再年輕十歲，哦，不，五歲——五歲就足夠了，一定會來追求妳的。』

烏蘭諾娃笑道：『謝謝您，律師，每次見到您，總是讓我很高興。真是，非常高興。』

烏蘭諾娃對約翰遜律師的接待，遠遠超過了『規格』。她親手端上了一杯紅茶，自然少不得加進了幾片鮮檸檬。

約翰遜律師子承祖業，現在爲歐洲托馬斯律師事務所的董事長。那是一家歷史和聲望都十分悠久顯赫的律師事務所。在歐洲，可以說人人皆知。他不遠萬里來見烏蘭諾娃，自然不會僅僅是爲了擁抱一下這位迷人的混血兒。他是帶著他終生最大的願望來的。

『怎麼樣？孩子，我委託妳尋找西蒙琴科大公爵的後裔，有進展嗎？』

烏蘭諾娃道：『當然有——而且有很重要的進展。我想，再過幾個月，我就能把西蒙琴科大公爵的後裔帶到歐洲去。』

『這是眞的？』約翰遜律師興奮得差點跳將起來。他的眼睛裡毫不掩飾地閃現出驚喜的目光。

『眞的，律師。』

約翰遜律師激動地搓著煙斗。他的雙手在哆嗦不停。幾代人的夢想和願望即將得以實現，這令他血脈加快。『從我祖父那一代，就開始尋找西蒙琴科大公爵的後裔，可是，那時候是蘇維埃執政，根本無法尋找。蘇維埃垮臺之後，這樣的尋找才有可能。上次見面之後，我回去又重新查證了一下銀行，西蒙琴科大公爵的遺產加利息已經升值到九十八億美元！九十八億！我的孩子，我不知道誰能成爲這筆巨大財富的幸運繼承者……』

烏蘭諾娃笑笑，沒有回答。上次她出訪歐洲，拜會了約翰遜律師。約翰遜律師把她請到密室裡，談了整整兩個小時。自然，都是關於西蒙琴科大公爵家族的事情。當年，逃亡到歐洲的西蒙琴科大公爵並沒有放棄推翻蘇維埃的狂想。那筆巨額資金和大量的奇珍異寶，就是他準備用來組建反蘇維埃雇傭軍的。可沒等他把計畫付諸於行動，便同夫人一起遭到了謀殺。人雖然死了，但金錢卻死不了，依然被存儲在某家銀行裡。而托馬斯律師事務所，作爲西蒙琴科大公爵的委託人，便開始尋找西蒙琴科大公爵的後裔。他們曾爲此付出了大量的心血和精力，當然他們不會僅僅是出於善良——按照有關法律，托馬斯律師事務所可以從這筆巨額遺產中得到百分之十二的佣金。這就意味著有十億多美金在向托馬斯律師事務所『招手』！

烏蘭諾娃在證實了約翰遜律師所說的這個驚人的消息後，立即展開了行動。畢竟她與西蒙琴科大公爵，都是生活在遠東的土地上，因此尋找起來自然比約翰遜他們要得心應手。通過明查暗訪，終於找到了莫林這條線索。烏蘭諾娃慶幸上帝的恩賜。她把李韵首先控制住，然後，又令安德烈採取『引誘、脅迫甚至恐嚇』等手段，逼迫李韵就範，由此設下圈套，將莫林騙到俄羅斯來。自然，安德烈並沒有想到他會成爲這個陰謀的犧牲品。所有的這一切，不因爲別的，就因爲烏蘭諾娃想成爲這筆巨額遺產的繼承者——不僅僅是九十八億美金，還有西蒙琴科大公爵後裔這個耀眼的光環！眞是一舉兩得！

『銀行那邊還有什麼要求？』烏蘭諾娃問。

『他們當然不希望能夠找到，因爲這對於他們來說簡直是一場災難，所以，他們的條件非常苛刻，不僅需要繼承者的身世證明，而且還需要進行遺傳基因檢驗——他們保留了西蒙琴科大公爵的遺傳基因檢驗報告，還有頭髮什麼的，想冒名頂替根本不可能！』

『不需要冒名頂替！爲什麼要冒名頂替呢？』烏蘭諾娃輕鬆自信地笑了笑。她給約翰遜律師的茶杯中，又續滿水，挺隨意地道：『律師，告訴你一個意外的好消息——我懷孕了！』

約翰遜律師高興地：『恭喜妳，我的孩子！』

烏蘭諾娃想，如果擁有了這份巨額遺產和西蒙琴科大公爵後裔的耀眼光環，那麼，『遠東女皇』就不再是一個虛名了……

自從李韵被炸死之後，莫林一直拒絕見烏蘭諾娃。

每天黃昏，莫林都要坐在黑水潭邊，傾聽著冰面下的聲息。炸裂的冰塊，經過寒冷的夜晚，又重新被凍凝了。但莫林依稀可以看見冰面上夾雜的斑斑血跡。李韵和安德烈的血跡混合在一起，這對莫林來說，無疑是更大的嘲諷和侮辱。『生不同日死同穴』，是中國人古老的傳統。其中的內涵包容了對婚姻和愛情的祈禱。儘管李韵背棄了他，但他仍還沒有從心裡上忘懷李韵。這個痛苦，莫林無法擺脫。

夜暮慢慢降臨，莫林期待著冰面下的喧鬧『晚會』的開場。如果眞的有，莫林希望李韵能把她的寃屈傾訴給他。然而，讓他失望的是，沒有——始終沒有出現烏蘭諾娃說的那樣充滿『歡歌笑語』的晚會。相反，有的祇是一片死寂。

莫林鬱鬱地回到了木克楞別墅內。在『火山遊獵場』，這樣的木克楞有許多。它完全用粗大的松木搭就而成，頗像油畫中的風景。雖然並不豪華，卻充滿了古樸的風味。屋頂覆蓋著厚厚的積雪。屋檐上墜著晶瑩玲瓏的冰凌，門前還挺立著奇形怪狀的雪人。莫林剛來時，被這洋溢著童話般美妙的世界而感到驚異。他佩服烏蘭諾娃與衆不同的精明。可現在，這個充滿童話趣味的世界，竟然被血腥所褻瀆了。這讓莫林從心裡對烏蘭諾娃感到厭惡。

莫林走進木克楞，稍稍一愣，他看見烏蘭諾娃正坐在火爐旁等著他。她的神情透露出掩飾不住的激動。

莫林道：『我正要去找妳。』

『找我？』烏蘭諾娃聳聳肩，誇張地：『莫——你這不是讓我受寵若驚嗎？你可是已經好幾天不肯見我的。』

烏蘭諾娃走過來，就勢擁抱了一下莫林，吻了吻他。莫林感到她的吻很熱烈、也很溫存，眞有點像是『夫妻』了。

莫林反感地推開她，冷冷地道：『烏蘭諾娃，妳坐好，我想我們應該好好談談。』

烏蘭諾娃自然明白莫林要談什麼，可還是故意裝作驚訝地：『談談？那是什麼意思？』

莫林道：『就是說我們倆誰也不要虛僞，誰也不要張狂，誰也不要違心地說假話，心平氣和地談談……』

烏蘭諾娃道：『莫……你這麼嚴肅，我都有些害怕了。』

莫林道：『用不著這樣──妳怕過誰？沒有！儘管妳知道這世界已經有一個上帝存在幾千年了，但妳還是要來做「上帝」！妳以為妳面前的所有的人，包括我，都不過是妳的奴僕──這沒關係，怎麼想那是妳的事！但我現在要談的是妳和我的事！我是來尋找我太太的，這妳知道。既然發生了這樣的悲劇，我想我沒有理由再待在這裡。』

烏蘭諾娃這次真的感到驚訝了：『莫……難道你還是想走？』

莫林道：『是的。』

『難道你就一點也不愛我？』

『正相反，烏蘭諾娃，我現在在恨妳。』

『莫，你太讓我傷心了……。』烏蘭諾娃委屈似的看著莫林，道：『如果說剛開始那還不算是眞正的愛，可現在不同了，莫──我眞的愛上了你！』

『烏蘭諾娃，別忘了，我看過妳許多電影，我記得在「午夜兩點半」中，妳對那個也叫安德烈的男人就說過這句臺詞，當時，我和許多觀衆一樣被感動了。可現在……我聽了之後，感到……噁心！』

烏蘭諾娃忍受不住這樣的嘲諷，她猛然站立起來，怒視著莫林：『莫……你又在侮辱我！如果換了一個男人，我會讓他爲這句話而付出生命代價的！』

莫林冷靜地道：『一開始我就說了，我們要心平氣和地談。』

『可我無法心平氣和！莫……我，我已經懷孕了，是你的孩子！是你的！在我懷孕的時候，你竟然還在侮辱我！莫——你還算是個男人嗎？』

莫林當即驚呆了。他疑惑地打量著烏蘭諾娃，目光下意識地落在了她的腹部上。自然現在還無法看破什麼。可是，烏蘭諾娃的神情告訴莫林，這一次她說的絕不是假話。

懷孕了?!

不管莫林是否愛她，但他都無法逃脫一個男人的責任。他沮喪不已。這些天，他在痛苦中煎熬著，痛下決心要離開烏蘭諾娃。他想到『克拉蘇山莊』外將那個陰謀搞清楚，然後再找烏蘭諾娃算總帳。然而，現在，烏蘭諾娃卻懷孕了！

莫林默然了半晌，對烏蘭諾娃道：『對不起……。』

烏蘭諾娃重新依偎進他的懷裡，這一次，他沒有推開，又說：『對不起……』

烏蘭諾娃極是委屈地將腦袋抵住莫林的胸膛：『莫——現在別再把我看做是什麼「女皇」了，我是一個女人——你的女人，莫！你不要離開我！』

莫林抬起手來，遲疑著但最終還是撫摸著她：『我……不會離開妳的……』

莫林哀傷地想，這個世界究竟哪裡出了毛病了？

・

波波娜駕駛汽車到達烏斯季堪察茨克海灣的時候，臨近中午。冬日溫和的陽光下，海灣四處蓬勃著生機。這是個終年不凍的港口。港灣中停泊著汽艇、遊艇和漁船。吊車轟鳴著在裝卸不停。波波娜無心瀏覽港灣的風光。她神情非常焦急，眼睛裡溢滿了淚水。

波波娜已經化了裝，戴著墨鏡，變成了一個風流倜儻的男大學生。她夾著一綑書，向碼頭走去。幾分鐘後，她被兩個化裝成裝卸工的克格勃帶上了一艘豪華的遊艇上。

波波娜進艙之後，看見馬亞契科上校正在喝白蘭地。他喝得很專心，一小口一小口地抿著，就像是在品嘗一般。

波波娜焦急地質問：『我母親在哪裡？』

馬亞契科上校看看她，沒有直接回答，倒了一杯白蘭地向波波娜遞來：『先來一杯怎麼樣？正宗法國的「拿破崙」！我喜歡這個小個子巨人——他讓全世界瞠目結舌了好幾次，不是誰都能做到這一點的，是吧？親愛的波波娜小姐。』

波波娜卻沒有接，而是依舊焦急地質問：『我母親在哪裡？』

馬亞契科上校笑笑，自己將兩杯白蘭地一飲而盡，然後順手取過一只遙控器，對準電視一按，屏幕上立即出現了一位俄羅斯老婦人驚懼的面孔。老婦人抽搐著嘴角，哆嗦著說：『波波娜……我的孩子，看在上帝的份上，救救我……我害怕極了……』

老婦人的聲音在顫抖著。波波娜猛然撲了過去，像是要擁抱母親一般抱住了電視。畫面上老婦人一直重複著在哀求。沒有背景。沒有別的可以顯示出這是什麼鬼地方。波波娜淚如雨下，痛苦地：『媽媽……媽媽……』

『眞可憐。』馬亞契科上校嘆息似的道：『她已經六十二歲了，還有心臟病，一點點的折磨，都會讓她忍受不了的！』

波波娜憤怒地瞪視著馬亞契科上校：『這是哪裡？究竟是哪裡？』

馬亞契科上校道：『是在動物園的老虎洞裡。不過還好，裡面的兩隻老虎也已經老了，牠們對妳母親好像不太感興趣。牠們喜歡更嫩些的鮮肉，祇是我擔心牠們哪天餓極了時候，恐怕就要飢不擇食了。』

『你……你……這個沒有人性的雜種！快把我母親給放了！』

『我要的文件材料帶來了嗎？』

『你先把我母親給放了！』

馬亞契科上校十分溫和端著酒杯走過來，他微笑著看著波波娜，充滿了欣賞的意味。可祇是一瞬，他忽地將一杯酒全潑在了波波娜的臉上：『小婊子！妳竟然也敢同我馬亞契科上校討價還價！這裡可不是克拉蘇山莊！』

馬亞契科上校臉色青烏，一副兇煞惡神的樣子。波波娜被驚嚇住了，連眼淚也流不出來。

馬亞契科上校將波波娜的提包奪了過去，從中翻找出了一摞資料的複印件。他看著看著，突然哈哈大笑起來：『莫林……莫林！我祇知道你是西蒙琴科大公爵的後裔，沒有想到你還價值九十八億美元！難怪烏蘭諾娃那麼急渴渴地拖你上床！』

波波娜聲音弱將下來，嗚咽著哀求：『你……把我母親放了！』

馬亞契科上校邪惡地搖搖頭，道：『這不可能，親愛的波波娜小姐，因爲我們還需要妳！不過，我可以保證馬上把她從老虎洞裡接到這遊艇上來，過著舒適的生活。我還會給她配備一名私人醫生，來負責給她治療——當然，如果妳不肯同我們合作或者把發生的這一切都告訴烏蘭諾娃，那肯定會是另一種結果，這是不言而喻的。』

波波娜悲傷地看著他，恨不能將這個惡魔撕個粉碎。

馬亞契科上校追問道：『烏蘭諾娃是不是懷孕了？』

『是……』波波娜吞吐著。

馬亞契科上校得意地笑笑：『還算妳誠實，其實這情報昨天我就知道。我還知道她要和莫林一起到海參崴去做檢查，是吧？』

『是……』

『烏蘭諾娃的如意算盤眞是精明極了。等她生下一個混血兒，莫林的死期也就到了！九十八億美元的遺產，可就全歸烏蘭諾娃所有，到那時候，遠東眞的成爲她的天下了！』

波波娜突然哭泣起來，跪在馬亞契科上校的面前，道：『求求你，不要折磨我的母親……』

馬亞契科上校獰笑著撫摸著波波娜的臉蛋，道：『妳瞧，妳哭起來仍是那麼迷人，寶貝……』

他忽然將她抱起來，丟到了床上。馬亞契科上校狼一樣地撲了上去。波波娜悲哀地驚叫了一聲，便驚恐地承受著馬亞契科上校的蹂躪。

『求求你，放了我母親……』

『寶貝，祇要妳乖乖地服從我，我會照顧好妳母親的……』

海參崴海軍總醫院連日來戒備森嚴，尤其是到了夜晚，眞是崗哨林立，如臨大敵。士兵們自然不知道其中的秘密，他們祇是接到基地司令卡波羅夫中將的命令：要絕對保證總醫院的安全！

其實，這祇是卡波羅夫中將討好烏蘭諾娃的一次表現而已。

烏蘭諾娃由莫林、波波娜等人陪同，來總醫院做常規檢查。本來卡波羅夫中將已經安排由總醫院的院長親自為烏蘭諾娃做檢查，但被烏蘭諾娃拒絕了。烏蘭諾娃點名邀請遠在莫斯科的亞歷山大教授來檢查。亞歷山大教授是俄羅斯最著名的婦科醫學權威，烏蘭諾娃除了對他還能信任以外，別人都信不過。

在等候亞歷山大教授的那些日子，是烏蘭諾娃最快樂的日子。那些天，成為她以後難以忘懷的記憶。她每天都在莫林的陪同下，去海邊散步或者乘遊艇出海遊玩。甚至還有一天，卡波羅夫將軍還安排他們乘坐核潛艇到韃靼海峽去轉了一圈。

那時候，她當然不知道災難已經迫近。

更讓烏蘭諾娃激動的是，莫林對她的態度也大為改變。莫林在努力扮演著一個『丈夫』的角色。這讓烏蘭諾娃感到欣慰。隨著胎兒在腹中的躁動，烏蘭諾娃的心理狀態也發生了變化。她渴望得到莫林溫情，渴望得到莫林的關懷，渴望得到莫林的愛。她知道自己在骨子裡仍還是沒有脫胎於『女人』。莫林沒有讓她失望。

黃昏的海岸邊，景象萬千。海鷗翩翩翱翔掠過浪尖。排浪轟然滾來，震顫了沙灘。幾隻小船徐徐駛來，眞好一幅寧靜、安詳的景象。

烏蘭諾娃看著這一切，心有所動，對莫林說，應該在海邊買一棟別墅，閑暇時到這裡來度假。莫林默然。他想，難得烏蘭諾娃還有一顆平常的心。

亞歷山大教授因爲去日內瓦出席一個國際學術會議，姍姍來遲。他對於烏蘭諾娃的邀請表示出感激。

那天晚上，烏蘭諾娃又像溫順的小貓似的依偎進莫林的懷中，道：『莫……我怎麼有些緊張？』

莫林安慰道：『用不著緊張，這祇是常規檢查，不會有什麼問題的。』

『你希望是個男孩還是女孩？』

莫林幾乎沒有想，便道：『都一樣。』

『可我希望是個男孩，』烏蘭諾娃道：『要是像你，那更好了。』

莫林苦笑笑。

『混血兒比常人要聰明，我們的孩子肯定會聰明無比的。』

烏蘭諾娃完全表現出了純粹女人的心態和思維，這讓莫林感到親近了許多。他並不是對女人有什麼輕蔑，但他覺得女人總應該像女人，如果女人失去了女人的天性，那麼可悲的不僅僅是女人自己，而是男人一同都可悲。

那夜，烏蘭諾娃躺在莫林懷裡睡得十分甜蜜。

可莫林無論如何也睡不著了。他又想起了李韵。剛結婚不久，李韵也是這樣祈望著能有一個孩子，可是，不知道怎麼搞的，始終沒有懷上。莫林安慰李韵說，以後總會有機會的。可沒有想到這竟然成爲了一個破滅的夢想了。

轉天，進行了整整一個上午的檢查，亞歷山大教授顯得十分認眞。結果很快就出來了。當亞歷山大教授將結果給烏蘭諾娃看時，烏蘭諾娃簡直不敢相信自己的眼睛，她狂怒地抓住亞歷山大教授，失去理智地大罵起來：『不——你這頭蠢豬！不！』

亞歷山大教授冷靜地道：『烏蘭諾娃小姐，如果妳馬上做手術，也許還來得及！』

烏蘭諾娃瘋狂地將檢查室砸個亂七八糟。莫林衝上去摟住了烏蘭諾娃：『妳冷靜冷靜……』

烏蘭諾娃沮喪地大喊大叫：『還要冷靜？……我是來檢查懷孕，可是這頭蠢豬竟然讓我做子宮切除……莫，我想有個孩子，自己的孩子，莫……』

烏蘭諾娃哭泣起來，雙肩一抖一抖的，十分傷心。

莫林驚異地將檢查結果取過來察看，也愣然了：子宮瘤！而且還是惡性的！他摟著她，也有幾分的感動。也許，這是烏蘭諾娃流露出眞情的瞬間。這一次，莫林相信她不是在表演。不是，而是一個女人在為自己哭泣。

『莫，你扶我走……我要離開這個該死的地方！』

亞歷山大教授攔住道：『烏蘭諾娃小姐，如果妳馬上就做手術，也許生命還可以保住，癌細胞要是擴散了，上帝也救不了妳！』

『你給我滾開！我就是死，也要生下這個孩子！』

『可是妳生不了！妳祇有二十到三十天的時間了……』

烏蘭諾娃一聽，瘋狂地又要亂砸，莫林上前摟住了她。亞歷山大教授乘機給烏蘭諾娃打了一針鎮靜劑，烏蘭諾娃稍稍安靜了一會兒。她躺在病床上，像是沈入了一個紛擾的夢鄉。

醒來以後，她點燃了一支煙，慢慢抹去了眼淚，對亞歷山大教授道：『教授……請原諒我的失禮。』

亞歷山大教授道：『我很理解妳的心情，烏蘭諾娃小姐。』

烏蘭諾娃：『你能保證手術成功嗎？』

亞歷山大道：『祇有百分之八十的把握，但我會盡力的。』

烏蘭諾娃：『那麼好吧，教授……你去安排吧。』

亞歷山大走出了病房。烏蘭諾娃哀怨地看著莫林。莫林坐在房間的角落裡，默然地注視著她。烏蘭諾娃不由得哀傷道：『莫……你爲什麼要坐得那麼遠？爲什麼不坐到我身邊來？』

莫林走過來，坐在烏蘭諾娃的床邊。烏蘭諾娃緊緊抓住莫林的手，充滿悲哀地看著他：『莫……我眞是個不幸的女人……』

手術十分成功。

手術後的第三天，烏蘭諾娃被莫林攙扶著來到花園散步。花園的欄杆前，排列著哨兵。

烏蘭諾娃顯得十分虛弱，經過這意外的變故，她的心靈受到了重創。這個時候，她眞的需要有莫林的肩膀作爲她的依靠，否則，她眞難以挺立住。

『莫……你相信上帝嗎？如果有，那一定是上帝在懲罰我！』

『烏蘭諾娃……』

莫林不知道該怎樣安慰她。一個女人被切除了子宮，那實在是令人傷心不已。莫林理解她此時的心情。

不遠處，亞歷山大教授手持一束鮮花向他們走來。烏蘭諾娃滿是怨恨地盯視著他，好像他是個劊子手一般。

亞歷山大教授走近，問：『感覺怎麼樣？』

烏蘭諾娃道：『挺好。可是教授，我無法謝你。你雖然挽救了我的生命，但卻讓我永遠也做不了母親了。這對於一個女人來說，是非常非常殘酷的。』

亞歷山大教授有些內疚地注視著烏蘭諾娃，道：『烏蘭諾娃小姐……要是生命能有兩次該多好。』

『因爲祇有一次，所以我……珍惜了。』

亞歷山大教授似乎還想說什麼，但終於沒有說，將那束鮮花遞給烏蘭諾娃，走了。他的神情有些淒楚和悲涼，也有些反常。望著亞歷山大漸漸遠去的背影，烏蘭諾娃皺眉：『莫，你是不是覺得他有些奇怪？』

就在那天晚上，烏蘭諾娃得到消息：亞歷山大教授在回飯店的路上，出車禍死了！

烏蘭諾娃馬上意識到這決不是偶然的事故。她打電話叫來了卡波羅夫中將，安排總醫院的院長重新做了一遍檢查，結果是：她根本就沒有得過子宮癌！

在那一瞬間，烏蘭諾娃像是遭到了雷擊一般，目瞪口呆。她沒有想到會遭到了這樣殘酷的暗算！天殺！……天殺的！她明白問題決不會僅僅出在亞歷山大教授一個人的身上。在遠東，敢於向她挑戰的，不會是別人，肯定是馬亞契科上校無疑了！

烏蘭諾娃恨得咬牙切齒。

她對莫林和波波娜吩咐道：『回克拉蘇山莊——我要同馬亞契科上校決戰了！』

人性一旦被扭曲，再怎麼荒謬也不足爲怪了
或者去死，或者去愛，除此別無選擇——

第五章：情變

克拉蘇山莊蒙上了一層陰影。

烏蘭諾娃所經受的創傷，無法彌合。那個殘酷的『手術』，不僅把她的祈望給破滅得粉碎，而且，還對她的高傲和自尊是個沉重的打擊。她無法原諒自己的疏忽，更無法饒恕馬亞契科上校的罪惡。她被仇恨點燃了瘋狂。

一連多日，還沒有完全從手術中康復的烏蘭諾娃發出了一道道密令。內容雖然莫林不得而知，但他能夠感覺一種決戰之時的緊張氣氛。他被換了別墅，住進了八號別墅。離烏蘭諾娃的指揮中心雖然並不遠，但他却被阻攔在外。這讓莫林感到局外人的失落。

這個時候，他很想給烏蘭諾娃一些安慰。不管愛與不愛，畢竟，這個女人是因爲懷了他的孩子而慘遭毒手的。他覺得這個災禍竟然把他與烏蘭諾娃拉近了些。尤其是當烏蘭諾娃表現出那些嬌弱的女人情感和女人味道的時候，證明她不管如何的非凡，可還是需要男人的臂膀的。

幾天後的一個晚上，在莫林再三請求下，烏蘭諾娃允許他走進了九號別墅。他以爲烏蘭諾娃見到他時，會委屈得淚流滿面，然而，他錯了。烏蘭諾娃雖然仍還是一副病容，但神態却異常冷峻。這讓莫林感到吃驚。一個女人在經受了這麼大的打擊之後，仍能方寸不亂地面對這世界，這樣的女人實在不是很多。

『妳好，烏蘭諾娃……還好嗎？』莫林吃驚之餘，有些語無倫次了。

『還好，你呢？』烏蘭諾娃有些平淡地問。

『也還好。』

莫林說完，竟然不知道再該說什麼好了。他找不到話題。他本來是來安慰她的，可是看她的神情分明已經用不著了。這樣莫林感到不知所措。他坐在烏蘭諾娃的面前，默默地看著她。

烏蘭諾娃輕輕嘆了一口氣，道：『莫……有一件事情，我要告訴你，希望你不要拒絕。』

莫林想像不出烏蘭諾娃會要求他做什麼。但在這個時候，莫林倒是願意幫助她。

烏蘭諾娃沉吟了一下，然後用平靜得讓人壓抑的口吻對莫林道：『莫……謝謝你給我的歡樂，說實話，那是我一輩子都不能忘卻的歡樂。祇可惜，太短暫了。』

這是什麼意思？莫林愣然。

烏蘭諾娃看著他繼續道：『我們的緣分到此爲止，莫——我們得分開了，你明白這是什麼意思吧？』

莫林更加吃驚。他並非對烏蘭諾娃有所留戀。從某種意義上講，這也正是他的期待。他一直在尋求能夠逃脫烏蘭諾娃控制的途徑，祇是因爲她懷孕了而讓莫林放棄了逃脫的努力。可現在，烏蘭諾娃卻突然決定分手，莫林不能不感到疑惑不解：『這是爲什麼？』

『因爲我失去了做女人的資格……當然，還因爲別的。』

『「別的」是什麼？』莫林追問。

烏蘭諾娃搖搖頭：『莫，這是你不該問的問題。』

『那這是否意味著我就此可以離開克拉蘇山莊？』

『那怎麼可以？不，不是這樣，莫！克拉蘇山莊以後將成爲你的家園——我要安排你正式結婚。』

『結——婚？跟誰結婚？』

烏蘭諾娃含蓄地笑笑，道：『一個非常可愛的捷烏什卡（姑娘）。你會爲她著迷的。』

莫林在震驚之下，有些忿忿不平了：『我不是玩偶——親愛的烏蘭諾娃小姐！妳怎麼可以這樣隨心所欲來安排我？如果妳對曾經發生的那些，感到後悔或者厭倦，我還能夠理解。結束我們之間那種荒謬的愛情，我還能夠接受，但是，不能在荒謬過後接著便是一個更大的荒謬！』

『這可不是什麼荒謬，莫！是愛情！』

『愛情？妳最好別用這兩個字，簡直是一種褻瀆！』

『你還不知道是誰，怎麼就斷定不是愛情？』

『不管她是誰，我都無法接受！』

『可你必須接受，莫！』

『什麼意思？』

烏蘭諾娃端詳著他，冷酷地笑笑，然後一字一頓地道：『或者去愛，或者去死，除此你別無選擇！』

莫林啞然了。他感到羞辱，也感到痛恨。他直視著烏蘭諾娃，道：『妳是一個不可理喻的女人！』

莫林扭頭走了出去。黑夜裡寒風冷得刺骨。他向克拉蘇山莊外的方向走去。因爲這裡的一切分明讓他感到莫名的窒息。小教堂那邊傳來了沉悶的風鈴聲，這給他憤怒空落的心靈平添了更多的哀傷。自從偷越國境之後，他遭受到了一個個磨難，眞的產生出了一種『遍體鱗傷』的苦痛感。尤其是在目睹李韵被炸死之後，他覺得心靈中某種支撐轟然坍塌了。他需要慰藉，需要休憩，需要找到一個寧靜的地方舔著自己心靈的創傷。這個寧靜的地方，別人是不會給予他的，祇有卓婭！卓婭現在已經成爲莫林心底最溫暖的依賴。

兩個警衛在他前面不遠的地方遊動著。他們看見莫林向他們走來，並沒有出聲，祇是很果斷地拉開了槍栓。

莫林沒有搭理。可這時候他聽見波波娜在身後叫著他。他站住了，回頭看去，波波娜關切似的警告他：『莫──別幹傻事！不要越過第一道警戒線，烏蘭諾娃小姐已經下令，祇要你越過警戒線一步，任何警衛都可以向你開槍的。』

莫林氣憤地看著波波娜。波波娜說得不動聲色。莫林暗想，難道烏蘭諾娃要安排的那位捷烏什卡會是波波娜嗎？

純情、靚麗的娜達莎是在黃昏時分回到了克拉蘇山莊。

她才十九歲，長得比她的姐姐烏蘭諾娃還要迷人。她去年秋天從舞蹈學院畢業後，就一直在國外旅行。這是她的嗜好。她始終覺得自己要擁有另外一種生活，就像一位高貴的公主那樣，被人仰視和崇拜。那些芸芸衆生、凡夫俗子讓她感到由衷地厭惡。她希冀自己能夠成爲眞正的貴族。這希冀有些飄渺，或者說有些朦朧。儘管事實上在遠東，她做爲烏蘭諾娃的妹妹，已經在享受著衆星拱月的生活，但她還是不滿足，總覺得缺少了什麼。那些新近暴發的『大亨』們，在她看來粗俗不堪，與她幻想中的貴族根本就不是一回事。遠東眞正的貴族，當屬西蒙琴科大公爵家族，可他們已經消亡七八十年了，這讓她感到失望。因此，她把目光投向了歐洲。

兩天前，娜達莎正在夏威夷要飛往洛杉機，却被烏蘭諾娃派去的助手接了回來，這令她很氣惱。

她逕直闖進烏蘭諾娃的辦公室。烏蘭諾娃剛送走兩名客人。娜達莎見到烏蘭諾娃便質問道：『爲什麼要中斷我的旅行？』

烏蘭諾娃冷冷地道：『妳已經長大了，娜達莎！不再是個小姑娘了，妳應該幹點兒正事！』

娜達莎任性地：『讓我幹正事？什麼正事？不，姐姐，我對妳這裡的一切都不感興趣！』

『但有一件事情我想妳應該感興趣。』

『那會是什麼？』

烏蘭諾娃看著她，半晌，道：『結婚！』

娜達莎被驚嚇得險些跳將起來，她生怕聽錯了：『什麼什麼？結婚……同誰結婚？』

『一個中國男人，他叫莫林。』

『親愛的姐姐——妳是不是瘋了？讓我結婚？而且……還讓我嫁給一個中國男人？』

『他是個混血兒。他的身上也流著俄羅斯的血！』

『他就是流著哈薩克的血也不行！』娜達莎受侮辱似的拒絕道：『親愛的姐姐——我的婚姻不能服從妳的擺佈，我有我自己的理想。妳應該明白，我可不是一個平平常常的姑娘，我是一位高貴的公主！讓我同一個中國男人結婚？……簡直、簡直是不可思議！』

『這由不得妳來選擇！娜達莎！我已經決定了！』烏蘭諾娃站起來，神情嚴厲地對娜達莎說。

娜達莎怔愣了。平時，姐姐烏蘭諾娃對她最是疼愛，凡事都由著她的性子去做。可這一次，竟然如此地嚴厲，這讓娜達莎感到愕然。這是爲什麼？她疑惑不解。

娜達莎是被威逼著送進莫林的房間的。這讓莫林十分吃驚。他怎麼也沒有想到烏蘭諾娃亂點鴛鴦譜竟然把娜達莎給『點』來了！

烏蘭諾娃也沒有解釋什麼，祇是簡單地爲他們倆做了介紹，然後就帶人退了出去。娜達莎轉身就要跟出去，門口却被兩個粗壯的保鏢堵住了。娜達莎忿忿地大罵：『蠢豬——快滾開！』

保鏢不僅沒有滾開，相反將她推進房間，然後將房門反鎖上了。娜達莎激忿地拍了一陣門，見無人搭理，祇好作罷。

娜達莎滿臉的憤怒，鄙夷地盯視著莫林。她覺得莫林雖然長得帥氣，但仍令她反感和厭惡。她猜測一定是莫林買通了烏蘭諾娃，背後做了一筆可觀的交易，否則，烏蘭諾娃是不會輕易地把她給『出賣』的。她把怨氣憋在了心裡。

娜達莎賭氣似的進了浴室，嘩嘩地沖水。莫林正在翻看一本屠格涅夫的小說。當然，他哪裡能眞的看下去？不過是爲了掩飾內心不平的屈辱，做做樣子罷了。娜達莎沖洗完，換上了薄如蟬絲的睡衣走出浴室。甩掉鞋，爬上了床。

莫林看看她，提醒道：『那是我的床，小姐！』

娜達莎哼了哼，道：『現在是我的了！』

『那我睡哪裡？』

『這我管不著，你應該去問問你的情婦！』

『可惜，她並不給我機會。』

娜達莎輕蔑地撇撇嘴，不肯相信莫林。她雖然才十九歲，但對男人的謊言並不陌生。男人常常都是些言不由衷的傢伙。她自然要心存戒心。娜達莎正色道：『我警告你，你要是敢碰我一下，我會殺了你的！』

『放心，小姐。』莫林頭也沒抬，祇是譏諷地道：『別說妳還穿了點什麼，就是什麼也不穿，我也懶得看妳。』

娜達莎一聽，脹紅了臉，胡亂抓起一只枕頭便砸將過來：『胡力幹（流氓）！』

莫林並不計較，接過了枕頭：『謝謝——我正用得著。』

他已懶得跟娜達莎費什麼口舌了。他覺得精疲力竭。娜達莎對他表現出的反感，正合他的心意，這樣可以免去許多麻煩。他抱著枕頭來到外屋的沙發上，躺了下來，繼續翻看著屠格涅夫的小說。他本想藉此消磨時間，平靜一下心緒，可是，從書頁中却不斷地走出一個個卓婭。卓婭用哀怨的目光在注視著他。他當然能讀懂卓婭目光中的意韻。他愧疚無比。對不起，卓婭……莫林暗暗地自責。

稍頃，娜達莎追了出來。她扯過書丟到一旁，惱火地對莫林道：『你剛才羞辱了我！』

莫林看看她：『也許吧，小姐。』

『那你必須向我道歉！』

『很遺憾，小姐，我沒有道歉的習慣！』

娜達莎氣憤得難以發洩，抓起書剛要砸向莫林的腦袋，手腕却被莫林一把攥住了。莫林冷冷地對娜達莎道：『別惹我發火，小姐——我已經受夠了！這個該死的克拉蘇山莊簡直就是地獄！妳以爲我願意住在這裡嗎？不——他媽的不！可是，妳姐姐根本就不放我走！妳不願意結婚，我也不願意！明白嗎？滾回去睡覺，別再打擾我！』

娜達莎愣了。這個男人不僅羞辱了她，而且竟然還敢對她發火！她的血脈在鼓脹。她暗自思忖，應該給這個傢伙一點顏色瞧瞧！

莫林拾起書來繼續翻看著。他自然無法心平氣和地看下去，翻了幾頁，抬頭，見娜達莎仍站在他面前。

『怎麼著？妳是不是想睡沙發？那我就不客氣了！』

莫林起身走進臥室，躺在了床上。娜達莎隨後跟了進來，仍盯視著莫林。莫林不再搭理，閉上了眼睛，佯裝著睡去。可突然，他的腦袋遭到了重重一擊，疼得險些暈了過去。娜達莎是用那本裝幀非常漂亮的硬殼書籍做武器來反擊他的。他伸手抹了一把，竟然流出了血！他一下子被徹底激怒了，跳將起來揪住了娜達莎，揮手猛抽了兩個嘴巴。娜達莎哪受得了這樣的委屈，發瘋一樣與莫林搏鬥。莫林還擊了兩下，突然感到非常無聊。他猛地將娜達莎推到了床上，然後厲聲道：『得啦——我們能不能安靜一點兒？』

娜達莎倔強地：『那你先向我道歉，先生！』

『好吧好吧——對不起，小姐，我向妳道歉！』

他感覺到臉頰上熱呼呼的一片，又抹了一把，竟然抹下了一手的血跡。他甩了甩手，捂緊了腦袋。

娜達莎看了，開心地大笑起來：『哈——男人原來竟是這麼的脆弱！』

莫林狠瞪了她一眼，轉身向外屋走去。

娜達莎伸手將她的睡衣底裙撕扯開，丟給了莫林：『先生，你應該包紮一下，別得了破傷風！』

莫林却將那條底裙又丟給了娜達莎。

轉天早晨，在去見烏蘭諾娃之前，莫林故意用繃帶纏了腦袋，這使他看起來顯得有些悲慘。他期望烏蘭諾娃能夠從中得到透悟，終止這場荒謬的『婚姻』。儘管事實上在莫林看來，娜達莎要比烏蘭諾娃可愛得多，但莫林對這該死的克拉蘇山莊已經充滿了厭惡和仇恨。他不願意在此多住一天。

莫林等候在烏蘭諾娃的書房裡。烏蘭諾娃正在會客廳接待堪察加半島駐防司令官。莫林自然不難猜測他們一定是在密謀如何對付馬亞契科上校。莫林暗想，馬亞契科上校在劫難逃了。

當烏蘭諾娃送走司令官，來到書房見到莫林時，絲毫沒有莫林所期望的那種驚訝。她祇是掃視了一眼莫林腦袋上的繃帶，問：『看你這個樣子，昨天晚上一定很愉快了？』

『是的，』莫林說：『很「愉快」——「愉快」得我腦袋都開花了！娜達莎如果再學點拳擊什麼，足可以做妳的保鏢了！』

『哦？那我很高興——娜達莎這麼有本事了？我可沒有看得出來，我一直以爲她很軟弱，還需要別人的保護呢！』

『那妳可就多慮了。』

『她這樣是不是更加可愛了？』

莫林盯視著烏蘭諾娃那張冷漠的臉，恨不能抽上一個耳光。他覺得她是在故意取笑或者耍弄他。她不可能不明白他的意思。他忍了忍，不得不正面談了：『烏蘭諾娃……這是一個錯誤，對我，對娜達莎，都是一個錯誤。不僅我感到屈辱，娜達莎也同樣感到屈辱——既然如此，這場荒誕不經的婚姻再繼續下去那就是罪孽了，我想，妳應該明白這一點。現在結束它，還來得及！』

『不——不要這樣，莫！娜達莎還小，還沒有眞正戀愛過。一旦她愛起來，會把你融化的。對她，你要有信心。』

莫林沉吟著道：『我無法忍受這樣的折磨，烏蘭諾娃，昨天妳好像還說過，或者去愛，或者去死，如果眞的祇有這兩種選擇的話，那我寧肯選擇後者！』

『已經遲了，莫！現在你要做的祇有一件事，那就是學著去愛娜達莎——不愛也得愛！』

『這簡直……簡直是荒謬絕頂！』

『也許是吧，莫——看著你腦袋上的繃帶，我也同意這也許是有些荒謬。但，這又有什麼關係？莫，世上不可思議荒謬絕頂的事情太多太多了。其實每個生命的誕生都是很偶然的，每個人的經歷也充滿了偶然的進程。譬如，你爲什麼是個混血兒而別人爲什麼就不是？你能夠解釋淸楚嗎？你沒有辦法來解釋。可這並不影響你活在這個世界上，對吧？』

莫林被烏蘭諾娃的謬論搞得無言以對。不能用正常的思維方式來同她對話，莫林想，因爲她本身就是一個不尋常的女人。她的生活邏輯呈現出的是一種扭曲、一種異化、一種非理性的軌跡。而這條軌跡，祇有她自己能走得通，別人是無法沿著它行進的。當然，瘋子們或許可以例外。但，烏蘭諾娃却不是瘋子。不是瘋子的人，走的却是瘋子般的路，所以她成爲了一個不同凡響的女人！

莫林還想要爭辯什麼，可娜達莎這時手提著一雙滑冰鞋歡快地跑了進來。她好像已經把昨天晚上發生的事情統統忘記了。祇是看見莫林頭上纏的繃帶，才似乎想了起來，開心地笑個不停。她說：『親愛的姐姐，妳沒有想到我會讓新郎倌血流滿面吧？精采極了！』

烏蘭諾娃嚴厲地瞪視了她一眼，斥責道：『娜達莎，送妳一個男人妳都不會愛，我懷疑妳還能做什麼？難道妳眞的就那麼笨嗎？』

娜達莎不服氣地掃視了莫林一眼，道：『那得看看這個男人是不是值得我去愛！』

烏蘭諾娃對莫林道：『莫，你先出去好嗎？我想同娜達莎單獨談談。』

莫林怨恨地瞪視了這一對姐妹，扭身走了出去。他沿著山莊的柵欄慢慢繞行到小教堂那裡，默然地看著隨風飄搖的一只只風鈴。風鈴發出低沉的聲響，顯得那樣的空寂和無奈。他不願意去猜想烏蘭諾娃會同娜達莎談什麼。他祇是有一種預感——娜達莎肯定會被烏蘭諾娃改變過來。這對於莫林來說，無疑是雪上加霜……

烏蘭諾娃本來是不想將莫林的底細過早地告訴娜達莎的，因爲她擔心娜達莎會洩漏出去。一旦莫林知道了自己的身世背景，無疑會更加難以控制。但現在，爲了說服娜達莎，烏蘭諾娃不得不冒險了。

『你坐下來！』烏蘭諾娃說。

烏蘭諾娃神情肅然，令娜達莎忍俊不住。因爲父母死得早，是姐姐烏蘭諾娃將她帶大的。姐姐是這個世界上最疼愛她的人。因爲這個緣由，娜達莎敢跟烏蘭諾娃任性。

娜達莎道：『我還是站著好——一會兒我還要滑冰去呢！』

『妳不是一直覺得自己是一個高貴的公主嗎？』

『難道這有什麼錯誤？』

『沒有！我很高與妳能這樣看自己！妳發誓要找到一個貴族，一個眞正的王子，可是，妳却要錯過莫！娜達莎，這會讓妳後悔一輩子的，妳明白嗎？』

『我……不明白，』娜達莎不由得愕然了：『親愛的姐姐，莫祇是個混血兒，他跟貴族和王子有什麼關係？』

『我現在可以告訴妳，莫就是西蒙琴科大公爵的外孫！他的身上流著西蒙琴科家族的血！——比我們的，要高貴得多！』

哦，天！這是眞的？

娜達莎簡直無法相信。西蒙琴科家族在遠東有著許多傳說。這些傳說從小就在影響著娜達莎。她非常崇拜著這個家族的成員。在她天眞的幻想裡，那都是些非凡的、能夠自由飛翔在天宇中的人物。他們像天使一般地生活著。他們不屬於現實，應該屬於幻想。

『莫……怎麼會、會是西蒙琴科大公爵家族的後裔？』

烏蘭諾娃打開了保險櫃，將封存的有關莫林身世的資料取出來，一一向娜達莎解釋，這下由不得娜達莎不相信。

『那……莫知道嗎？他知道自己是西蒙琴科大公爵的外孫？』

『不——暫時不能讓他知道！這妳必須得保證！』

『爲什麼不告訴他？』

『娜達莎……有些事情妳還是不要過早地知道爲好。當然，這事遲早要告訴莫的，但決不是現在——娜達莎，妳起誓！』

『我……起誓！』

翻看著那些資料，娜達莎漸漸激動起來。她彷彿突然間眞切地觸摸到了被神秘、莊嚴、神聖的氛圍所包容的西蒙琴科大公爵家族的大門。她在向他們走近。心靈深處震顫出了一種渴望和夢想，她希冀能夠成爲他們中的一員，希冀能給繼續著他們那些美妙的傳說……

那天晚上，再次走進莫林的房間，娜達莎便用一種崇拜的目光打量著莫林。她無法掩飾自己的渴望。這讓莫林感到莫名其妙：『怎麼啦，娜達莎，怎麼這樣來看我？』

娜達莎溫柔地笑笑，道：『我……我有些緊張，莫，眞的，你不要笑話我，你瞧，我一直在哆嗦……』

果然——娜達莎果然被烏蘭諾娃改變了！莫林在心底哀嘆了一聲。這意味著這場荒謬的婚姻還要繼續荒謬下去。

娜達莎慢慢走近莫林，伸出手來，遲疑了一下，但最終還是撫摸著莫林的腦袋。她心疼般地問：『還疼嗎？哦……莫，請你原諒我的無禮。』

『妳今天和昨天簡直判若兩人！娜達莎。』

『這是因爲我昨天不想跟你結婚，可今天正好相反。』

『哦，這是爲什麼，娜達莎？』

『因爲……』娜達莎欲言又止。停了停，她說：『有時候……愛需要理由，可有時候，愛也不需要理由……』

『就這麼簡單？』

『當然不。』

『那妳到底是什麼意思？是想結婚還是不想？』

『想。你呢，莫？難道你不願意愛我嗎？』

莫林笑笑，道：『當然不，娜達莎，妳這麼迷人，我沒有理由不愛妳，是吧？』

『那你同意跟我結婚了？』

『爲什麼不同意?』

娜達莎一聽，興奮地跳過來，猛然摟住了莫林，親吻著他。他默然地承受著，沒有什麼表示。娜達莎親吻了一陣，依偎住莫林，陶醉似的顫聲道：『莫……我愛你。』

莫林好像被噎了一下。愛?……這也能算是愛麼?如果娜達莎稍微具備戀愛的經驗，就不難察覺出莫林的心不在焉和別有企圖了。

莫林輕輕將她的腦袋抬起來，看著她道：『娜達莎，妳先別激動——我還有個要求，既然要結婚，那麼我們應該去蜜月旅行，這妳不會反對吧?』

『怎麼會反對呢，莫!我們一起去歐洲好嗎?』

『祇要離開克拉蘇山莊就行!』

莫林說。莫林說完之後，感到有些沮喪。他不忍心欺騙娜達莎的感情。娜達莎任性也好，天眞也罷，畢竟，她要付出的將是她的初戀。可是，除此之外，他實在沒有別的路可走。這一整天，他都在小教堂那裡痴看著風鈴的飄搖。聽著那叮噹叮噹的聲響，他越發覺得鬱悶、越發覺得窒息。在那樣無所依靠的心境中，他十分想念卓婭。或許，祇有卓婭才能撫慰他那顆飽受創傷的心靈。他想，祇能將計就計利用娜達莎來逃出克拉蘇山莊，逃出烏蘭諾娃的控制，否則，不僅得不到卓婭的撫慰，他也會鬱悶、窒息而死。如果答應與娜達莎結婚，那麼要求去蜜月旅行烏蘭諾娃就不會不答應，最多派幾個保鏢跟隨。祇要離開克拉蘇山莊，到了外面的世界，莫林想肯定就有辦法甩掉他們。這是唯一的出路。

祇是，要以欺騙娜達莎的感情作爲砝碼！

娜達莎當然不知道莫林的眞實心態。她依然興奮不已，摟著莫林的脖子，溫柔地問：『莫……我們是不是該幹點兒別的？』

『幹什麼？』

『新婚之夜……總不能就是傻站在這裡擁抱和親吻吧，總應該幹點什麼呀……』娜達莎說著，臉頰泛出羞怯的紅暈，下意識地看了看那張雙人床。

莫林的目光却越過她的肩頭，投向了窗外。窗外，是黑沉沉的一個黑夜。不見星星，也不見月亮。它們都被厚重的雲層遮蔽住了光亮，遮蔽住了皎潔。

在這樣黑沉的夜晚裡，卓婭會在幹什麼呢？

卡捷琳娜大飯店位於遠東第一大城市哈巴羅夫斯克的近郊森林內。不僅環境幽雅，而且還縈繞著一種夢幻般的氛圍。每日裡，各種飛鳥絡繹不絕，在枝椏間呢喃細語，平添了幾多浪漫情懷。

豐姿綽約的娜達莎緊挽著莫林的胳臂，走進了卡捷琳娜大飯店。陶醉在新婚快活之中的女人，最具迷人風采。愛情的滋潤，令她沉醉不已。她忽然間覺得擁有了這個世界。這是一個很奇特的感覺。其實，她也知道莫林還是那個莫林，與她第一次見到的莫林並沒有多大的變化，不同的祇是她現在知道了他那奇異的身世和奇異的血脈。西蒙琴科大公爵！這個統治過遠東長達幾百年的家族的根，現在被她抓在了手中。她握住了這個根，就彷彿握住了遠東的靈魂。

莫林看著激動沉醉的娜達莎，心裡不由得生發出了一種深深的愧疚感。荒誕、荒謬或者罪孽，其實與娜達莎無關，她不過是個犧牲品而已。現在他將利用她來出逃，他覺得多少有些卑鄙的行徑。

他們當然不是兩個人來的。烏蘭諾娃派波波娜和兩名強壯的保鏢一路陪伴。莫林淸楚地知道他們旣負有保護的使命，也負有『看守』的任務。但，融進了大都市畢竟與克拉蘇山莊不同，莫林有信心甩掉他們，伺機出逃。

莫林和娜達莎住進了卡捷琳娜大飯店的『總統套間』。波波娜和那兩名保鏢分住在他們的左右。說是『總統套間』，其實是整個樓層。那是大飯店頂層的旋轉樓層。向東可以俯視整個哈巴羅夫斯克；向西可以欣賞阿烏爾山脈的絢麗風光；向南又可以眺望烏蘇里江千里冰封的壯觀景象。這樣一個去處，天然美景目不暇給，令人心曠神怡。

娜達莎站立在窗前看了一圈後，樂不思蜀地對莫林道：『莫——乾脆我們連歐洲也別去了，就長住在這裡吧。』

按照預定的計畫，他們將在此停留三天，然後經日本飛往歐洲。

莫林道：『那不委屈妳了嗎？』

『這裡簡直像是天堂，委屈什麼？莫——』娜達莎撲過來，擁緊莫林，一邊親吻著一邊道：『這樣的蜜月將令我終生難忘！』

娜達莎說著便解開了莫林的衣鈕。莫林有些吃驚，許是因爲新婚，初嘗禁果還沒幾遭，娜達莎對莫林的需要遠遠超過他的想像。她簡直像是飢餓的人撲到了一盤美食佳肴上，不吸吮得淋漓盡致不肯罷休。

祇是苦了那張新從日本引進而來的輕鬆、柔軟的水床。娜達莎在水床上滾動著，發出快活的呻吟。她刺激並且鼓勵著莫林發狂。莫林能清楚地感覺到水床中水流在汩汩流淌，循環往復。天還沒有黑沉下來，那時候，還屬於黃昏。夕陽從窗櫺間塗抹進來，緋紅、絢麗一片，更添了別致的情趣。娜達莎最後彷彿被撕裂似的大叫一聲，竟然有些昏暈過去了。幾隻飛鳥在窗戶外呢喃地叫著，偷偷窺視。莫林長舒幾口氣，默然地看著娜達莎，心中竟然充滿了悲哀的情緒。他想，怎麼該墮落到了這步天地了？他爲自己感到臉紅。

半晌，娜達莎從醉迷中醒轉過來，反手摟住了莫林：『莫……你好棒！棒極了！』

莫林苦笑笑，無語。

娜達莎看見窗戶外的那幾隻飛鳥，興奮地跳下床跑將過去。她用手指頭敲著明淨的玻璃，道：『嘿——你們，不許偷看！』

可那幾隻飛鳥却仍然不肯飛走，緊貼著玻璃在盤旋。

『哈——牠們一定在羨慕我們呢，莫！』

娜達莎沒有穿著什麼，她姣好的身段在夕陽的輝煌裡，更加飄逸。莫林坐在床頭點燃一支煙，默默地看著娜達莎。娜達莎平時就爲自己的美妙而感到驕傲，這時候，見莫林的目光不離開她，十分激動。她打開了音響，歡快的樂曲在房間裡飄蕩起來。娜達莎隨著節拍，跳起了俄羅斯民間舞蹈。她邊跳邊注視著莫林：『莫……我會讓你爲我感到驕傲的！』

莫林的思緒却飛出了窗外。他又想起了卓婭。這個時候，卓婭會不會站立在那低矮的窗戶前，向遠處眺望，等待著他的回歸呢？

娜達莎隨著樂曲旋轉到了莫林的近前，重新撲到了他的懷裡。

『莫……我跳得好嗎？』

莫林仍是那樣苦笑笑，無語。

娜達莎親吻了他一下，道：『莫……你爲什麼這麼沉默？』

莫林有些發愣。沉默？哦，是的，跟娜達莎在一起，他是變得沉默起來了。因爲他覺得，既然是一場情感欺騙，如果再留下過多的注解，那豈不是更加虛僞了嗎？

『娜達莎……』莫林慢慢摟過她來。他似乎要對這個情竇初開的少女表示自己的愧疚，又似乎是在提醒著她。他不敢想像一旦他出逃以後，娜達莎該怎樣的憂傷和心碎了。他看著她的眼睛道：『不要過分迷信所謂愛情的份量，其實有許多時候，那是非常脆弱、非常不堪一擊的。如果妳以爲有了愛就擁有了這個世界，那可就錯了。』

娜達莎吃驚地：『莫……你這是什麼意思？我聽不懂。』

『因爲妳還小，還太天眞。愛情除了幻想之外，還有別的。』

『別的什麼？』

『不是所有的愛情都是那麼美好的，有一些其實很醜陋、很齷齪，這是因爲這個物欲橫流的世界太骯髒了，愛情也不能不受汚染。』

『莫……可我們不是，對嗎？我們是在眞心地相愛，對嗎？』

娜達莎祈盼地看著莫林，莫林實在不忍心再傷害她了，沉吟著點點頭。娜達莎見了，與奮地猛然將莫林壓翻在水床上……

那天晚上，卡捷琳娜大飯店請來了莫斯科『皇家芭蕾舞團』，給娜達莎和莫林做專場演出。演出在一樓的歌舞廳舉行。陪同娜達莎和莫林觀看的有不少這座城市裡的頭面人物和新近暴發的企業家。他們紛紛想借重烏蘭諾娃近親的聲譽來抬高自己。娜達莎對於他們非常冷淡。她偷偷咬著莫林的耳朵，輕聲告訴莫林說：這是一群沒有開化的蠢豬！莫林被逗得笑了起來。當著名的『天鵝湖』拉開了序幕之後，莫林就在暗暗地尋找機會。這裡離邊境不遠，祇要逃出了這個大飯店，莫林就有機會了。

舞臺上，『天鵝』們在旋轉在騰躍在憂傷……

莫林偷偷看了一眼娜達莎，她顯然已經沉浸在劇情中了。莫林輕聲告訴她：我出去一下。娜達莎根本沒有往別處想，她以爲莫林是上洗手間。莫林走出了歌舞廳。

一出歌舞廳，莫林便加快了腳步，向旋轉的大門快步走去。臨近門口，他突然回轉身察看，還好，並沒有人跟蹤。他急忙出了飯店。

夜空正迷亂。莫林無心欣賞，他長舒了一口積鬱的悶氣，向停在花園旁的一排排小汽車走去。他希望能有一輛會忘記上鎖。可是，第一輛沒有打開；第二輛仍沒有打開。當他正握住第三輛汽車把手的時候，忽然聽到身後有人問：『莫先生，那麼精采的芭蕾舞怎麼不欣賞了？』

莫林回轉身，一看，不是別人，正是波波娜。波波娜的手揷在衣兜裡，分明是在握著什麼。

莫林故作難爲情地道：『很遺憾，波波娜小姐，我其實是個很粗俗的人，實在欣賞不了那麼高雅的藝術。』

『可這麼晚了，你要到哪裡去？』

『我想出去兜兜風，妳去嗎，波波娜小姐？』

波波娜詭秘地一笑，道：『莫先生，你知道我會怎麼來回答你，當然是——不！不僅我不會去，也不會允許你單獨離開這裡。』

莫林故作憤怒地：『這是爲什麼？波波娜小姐，我是出來度蜜月的，難道還要遭受軟禁嗎？』

『別發火，莫先生！究竟爲什麼你應該去問烏蘭諾娃小姐，而不應該來問我，這你知道！』

『那好——那我現在就終止蜜月旅行，回克拉蘇山莊！』

『你這是在威脅我，莫先生！你怎麼會捨得放棄這樣一次出逃的絕好機會呢？即便卡捷琳娜大飯店不行，可還有歐洲呢！我知道，你一直想逃離烏蘭諾娃小姐的控制。』

被點破了心中的隱秘，莫林不由得吃驚。他看著狡黠的波波娜，竟然有些沮喪。在這個富有心計的女人面前，你永遠也別想隱藏著什麼秘密，她會一眼就看穿你的。難怪烏蘭諾娃那麼欣賞她！

莫林帶著怨恨瞪視著她，道：『妳眞是個莫名其妙的女人！』

顯然，這個時候再出逃已經不可能了。莫林轉身向大飯店的門口走去。被波波娜阻攔住了，讓他感到忿恨。

可意外的是，他剛走了幾步，却聽到波波娜在身後又叫他：『莫先生——』

他回轉身，看見波波娜的手從衣兜裡慢慢掏了出來。他以爲會是一把精巧的手槍之類的玩意兒，可沒有想到竟然會是一把金黃色的鑰匙。他有些疑惑不解地看著波波娜。

這是什麼意思？

波波娜遲疑著道：『出了花園，前邊的樹林中有一輛黑色的汽車，用這把鑰匙去碰碰運氣，也許就能夠打開它……』

莫林愣怔了一下，稍頃快步走過來，將那把金黃色的鑰匙抓在了手中。他看著波波娜，感激地擁抱了她一下：『謝謝妳……波波娜小姐，妳——讓我感到意外！』

『天已經黑了，這裡的山路崎嶇不平，兜風的時候，車速不要太快……祝你走運，莫先生。』

波波娜說完，快步隱進了大飯店。

看著她的背影，莫林為自己剛才對她的怨恨而感到內疚。他緊握著鑰匙，飛快地跑出了花園。果然，在樹林旁，停放著一輛黑色的轎車。他急匆匆地跑過去，剛要用鑰匙打開車門，可沒有想到，這時候忽然感覺到身後撲上兩個人來，一左一右挾住了他。接著，一方浸濕了的手帕捂住了他的嘴巴，一股怪異的氣味直衝肺腑。他無法掙扎，也無法叫喊。他被推進了車內。

在昏迷前的那一瞬間，他在恨恨地咒罵：波波娜這個臭婊子，哪裡是幫助他，分明是把他出賣了！

若是兩顆心互相交融
苦難也能釀造出生死之戀——

第六章：逃亡

莫林還沒有來得及出逃，竟然遭遇到了綁架！

一連串的險象叢生，令他對神秘的遠東產生了無法應付、常常錯位的感覺。他本來是爲了尋找太太而來的，可現在，彷佛連自己都快要丟失了。他不知道接下來還會發生什麼荒唐的事情。

汽車疾馳在崎嶇不平的山路上，顛簸得厲害。他昏昏沉沉，無力掙扎，更無力反抗。他試圖保持一點點清醒的思維，試圖判斷綁架者的身分和目的，可是，他未能如願。兩名綁架者顯然經過了良好的訓練，不僅手段純熟，而且還守口如瓶，一路默然。他歪伏在椅背上，很快就昏迷過去了。

當莫林甦醒來之後，簡直不敢相信自己的眼睛。他靠在沙發上，面前站立的不是別人，竟然是卓婭！

『眞不好意思，』莫林揉揉發沉的腦袋，故作幽默地說：『這是我第三次來打擾妳，每一次都是由別人扛著進門的。』

卓婭柔順地一笑，問：『要咖啡還是茶？』

莫林道：『這一次我好像是個獵物，被捕獲了，所以還是老老實實做個囚犯爲好——咖啡或者茶，請隨便。』

卓婭進廚房準備去了。莫林乘機打量起室內，好像沒有多大的變化：地毯、壁毯、壁爐等等，依然還是老樣子。可莫林分明又感覺到一種壓抑的氣氛在籠罩著。他不能相信是卓婭派人綁架他，可是爲什麼又會被送到卓婭這裡來呢？

莫林定睛細看，不由得釋然了：在壁爐旁邊的陰影裡，坐著一個男人。那是個禿頂的男人，目光異常陰冷。他一直沒有說話，而是坐在那裡，定定地注視著莫林。莫林想：這就對了，馬亞契科上校！是馬亞契科上校綁架了我！

莫林也冷冷地同他對視起來。

卓婭端來了一杯紅茶，上面還加著兩片檸檬。莫林輕輕抿了一口，然後對卓婭說：『壁爐旁邊那雙靴子眞漂亮，是從義大利進口的嗎？』

卓婭自然知道莫林說的是什麼，她扭頭目光複雜地看了馬亞契科上校一眼，道：『也許是從法國進口的，天知道！』

莫林道：『我一直想買一雙，但在市場上卻找不到——請問馬亞契科上校，你是從哪兒買的？』

馬亞契科上校慢悠悠地點燃一支煙，吐了一口，然後走了過來。他依然盯視著莫林，道：『這可不是幽默的時候，莫林先生。』

『很榮幸，馬亞契科上校，我們又見面了！』

『就算是吧，』馬亞契科上校說：『現在能夠再見到你，確實不容易。』

『可你不是已經做到了嗎？』莫林充滿譏諷地道：『綁架是你們最純熟的技術，但願別失傳了！祇是我不能理解，既然你派人綁架了我，怎麼會送到這裡來？』

馬亞契科上校並未與莫林計較，淺淺一笑，道：『我要把你作爲禮物送給卓婭——這麼說但願你不要覺得傷害了你的自尊。』

『哦？眞的是這樣？』

莫林扭頭看著卓婭。卓婭依然含情脈脈地注著他。他從卓婭的神情中，發現馬亞契科上校說的並不是假話。

莫林哭笑不得。他出逃的目的地，就是卓婭這裡；而馬亞契科上校綁架的目的地，竟然也是這裡。這眞是一個奇異的巧合！在這巧合的背後，莫林卻窺視到了一個無法破解的謎！

『那今天眞是個好日子！』莫林道。

『你能這樣想，我非常高興。』馬亞契科上校說：『今天對於你和卓婭來說，確實是個值得紀念的日子——一會兒我就要把你們送進教堂。』

『什——麼？』莫林吃驚了。

『難道你不願意和卓婭結婚？』

莫林驚訝地看著卓婭，不知所措。這世界是不是發瘋了？不然，又怎麼會如此的荒誕透頂？在蜜月裡遭到綁架，而綁架的目的還是結婚！他當然不是不願意與卓婭生活在一起，祇是對這樣的荒誕無法理喻！

卓婭依然柔順地看著他，眼睛裡分明流露出殷殷的期盼，好像害怕會遭到莫林的再次拒絕。

莫林道：『馬亞契科上校，能告訴我這到底是爲什麼嗎？我一直在疑惑不解：先是烏蘭諾娃要嫁給我，而你卻指使或者說收買或者說恐嚇亞歷山大教授給她做了殘酷的手術，這給她以最沉重的打擊。而後又是烏蘭諾娃蠻橫地威逼著娜達莎和我成親，在蜜月裡，你又把我綁架來，要我和卓婭結婚，這究竟是爲什麼？』

馬亞契科上校道：『我可以把謎底告訴你，莫林先生，我相信烏蘭諾娃是不會告訴你眞相的——你僅僅知道自己是個混血兒，可你並不知道你是西蒙琴科大公爵的後裔，對吧？』

『西蒙琴科大公爵？』莫林驚愣了。

馬亞契科上校繼續說：『你母親是西蒙琴科大公爵唯一的女兒，當年你外祖父從哈爾濱流亡到歐洲之後，一直在試圖武裝起一支強大的雇傭軍來反攻年輕的蘇維埃政權。他沒有成功。但是，他準備用於武裝的資金卻保留下來了，那是他私有財產，至今仍保存在歐洲某個銀行裡，而全部手續則委託最具信譽的托馬斯律師事務所辦理。這筆遺產數額驚人，現在已達到九十八億美金！毫無疑問，它們應該由你來繼承。可是，托馬斯律師事務所卻委託烏蘭諾娃來尋找你。烏蘭諾娃是個精明的女人，她當然不會允許這樣一大筆的遺產從她手上放過去，所以她要同你結婚，同你生一個混血兒，然後，也許就把你幹掉。因爲祇要有西蒙琴科大公爵的遺傳基因的檢驗報告和身世證明，就能證明是西蒙琴科大公爵的後裔，就能合法地繼承這筆遺產。』

簡直像是天方夜譚，莫林無法相信：『這是眞的嗎？』

『當然。可惜這情報我得到遲了一步，烏蘭諾娃搶先動手了，她先是設計將你騙到了俄羅斯，然後再擺佈你。你太太李韵和安德烈都是這個陰謀的犧牲品。』

莫林馬上想起了李韵那哀怨的目光。所有的疑惑都被這個驚人的謎底釋然了。莫林將偷渡之後發生的那些不可思議的事情串聯在一起，確信馬亞契科上校所說的這一切都是眞的。

難怪烏蘭諾娃會如此這般地對待他，原來竟是在『巧取豪奪』！揭開這層面紗，莫林對烏蘭諾娃生發出了蔑視和仇恨。在她那蓬勃的野心中，仍沒有擺脫『圖財害命』這個古老的誘惑。

馬亞契科上校說著，把一只不大的公文包交給了莫林：『這裡是有關你的身世證明——是從烏蘭諾娃的保險櫃中拷貝來的，原件還在她手裡。無論如何也要把它保存好。有了它，再有了你，你們就可以去歐洲繼承那筆遺產了！』

莫林知道馬亞契科上校是通過誰得到這份身世證明的，一定是波波娜！波波娜竟然『暗渡陳倉』，令莫林感到意外。

『我有些不明白，』莫林掂了掂手中那只不大的公文包，看著馬亞契科上校，道：『這筆誘人的財富，你怎麼會這麼輕易地拱手相讓給我了？』

『坦率地說，不是給你——是給我女兒卓婭的！』馬亞契科上校目光複雜地看著卓婭，慢慢道：『許多人都以爲我根本不愛她的母親，祇是在玩弄，這是個錯誤。其實，我非常喜歡卓婭的母親。當她背棄我與黑熊老喬私奔之後，我痛苦得不行，我無法忍受他們給我帶來的恥辱……他們死在了我的手裡。死了之後，我才明白，肉體可以消亡，但愛卻不能。這些年，我一直在向卓婭的母親「懺悔」，希望她能夠寬恕我。當然，我更希望卓婭也能夠寬恕我……這一次，就算是我對卓婭和她的母親一次補償吧。』

卓婭分明被震動了心靈。她這還是第一次發現他那複雜的內心世界裡，還殘存著幾分良知。這給了她一些慰藉。看來，他並沒有完全喪失人性！

莫林默然地看著馬亞契科上校，也有些驚訝。人眞是個複雜的動物，說出去也許沒有人會相信，做爲『惡魔的使者』的馬亞契科上校，竟然也能有這般的心境！

『好了，別再發愣了——你們倆必須馬上走！離開這裡到歐洲去，半年之後，如果我還活著，你們再回來，否則，永遠別回來！』

『這是爲什麼？』莫林問。

『在遠東，一場殘酷的決戰已經拉開了序幕：今天傍晚，就是在你欣賞芭蕾的時候，我們在西伯利亞的一個秘密基地被人炸毀了，是烏蘭諾娃唆使軍方幹的，這個臭婊子！這一場決戰很快就會波及到整個遠東。我想用不了太久，就會見勝負，或者我輸，或者她輸，所以，現在我能幫助你們的祇有兩本護照和五萬美金，其他的，祇能靠你們自己了——』

馬亞契科上校將護照和美金掏出來，塞給了卓婭。這一次，卓婭沒有拒絕。這令馬亞契科上校感到欣慰。他慈愛地拍拍卓婭的手背，道：『走吧，卓婭——我來爲妳和莫主持婚禮，妳不會反對吧？』

卓婭看著莫林，似乎在等待著他來決定。莫林站起身，穿上了大衣。卓婭的神情顯現出激動。

半個小時之後，馬亞契科上校帶著卓婭和莫林來到了阿烏爾村的小教堂。教堂的四周遊動著一些保鏢。牧師已經在那裡等候多時了。看來馬亞契科上校早已有所準備。當婚禮進行曲響起之後，莫林將卓婭擁進懷裡，親吻著。

一位保鏢匆匆走進來，對馬亞契科上校耳語了幾句。從他的神情中，不難看出事態有些危急。可馬亞契科上校卻冷冷一笑，很沉著地注視著牧師。

牧師在念誦著聖經。

可這時候，教堂外突然響起了一聲清脆的槍聲，牧師被驚嚇得一哆嗦，聖經從手中掉落在地上。馬亞契科上校不滿地瞪視著他，然後，將聖經拾起來，交給牧師：『請繼續進行！』

儀式雖然簡單，但卻極盡周全。完畢之後，馬亞契科上校擁抱了一下莫林，道：『莫——我把卓婭交給了你，也把財富交給了你，你能不能得到，能不能守候得住，就全看你的了！』

『我會盡力的……』莫林說。

莫林轉身摟著卓婭向外走去。走了幾步，他聽見馬亞契科上校淒涼地叫了一聲：『卓婭！』

卓婭和莫林一同停下，看著馬亞契科上校。

馬亞契科上校走過來，充滿慈愛地給卓婭圍好圍巾，然後說：『卓婭……別再記恨我，不管妳走到哪裡，都要記得這世上還有我這個父親……』

卓婭看著他，哆嗦著嘴角，分明想說什麼，可卻沒有說出來。她淚眼婆娑地對馬亞契科上校點了點頭。馬亞契科上校欣慰地笑了。

也許，這會成爲他最後的笑容——莫林暗想。

當莫林摟緊卓婭融進夜暮下的密林裡時，阿烏爾『中國村』中的槍聲越來越激烈了……

哈巴羅夫斯克機場在遠東算是比較繁忙的機場。飛機起飛和降落時發出巨大的轟鳴聲震耳欲聾。莫林攬緊卓婭走向了綠色通道的『邊檢口』。他們要從這裡飛往哈爾濱。莫林已經做好了準備，也許回去後因爲偷渡要受到嚴厲的審查，但祇要他把事情的來龍去脈講清楚，他相信政府是會給他一個寬大的處理的。儘管他現在已經知道自己是聲名顯赫的西蒙琴科大公爵家族的後裔，但他仍然覺得自己是個『中國人』，而不是『俄羅斯人』。俄羅斯的遠東，留給他的痛苦實在太多、太多！

身邊有卓婭陪伴著，這讓莫林感到安慰。卓婭釋淡了他對烏蘭諾娃的仇恨，否則，莫林不會就這樣回去的，肯定要爲李韵復仇。現在有了卓婭，莫林多了牽掛，他不能讓卓婭跟著一同冒險。他祇想快些逃離險象叢生的遠東，然後與卓婭一同去歐洲。那樣一筆巨額遺產，可以做好多事情。莫林首先要以卓婭的名字成立一個基金會，爲中國和俄羅斯失學的兒童提供幫助。

機場『邊檢口』熙熙攘攘。莫林和卓婭排隊在等候檢票。這時候，兩名邊防警察逕直向他們走來，讓他們出示護照。當莫林和卓婭將護照遞給他們時，他們祇草草地掃視了一眼，便說護照有僞造嫌疑，然後不容分辯地就將莫林和卓婭帶進了一間禁閉室。

禁閉室陰森晦暗，雖然空蕩蕩的，卻彌漫著發霉的氣味。卓婭還要同那兩名粗暴蠻橫的警察爭辯什麼，卻被莫林攔住了。莫林對她說，沒有用——難道妳還看不出來他們是被烏蘭諾娃收買的嗎？即便不是護照『出錯』，他們也會找到別的理由將我們『扣押』的！

『我們錯了，莫，應該想到這一點……』卓婭有些懊悔地說。

這的確是個錯誤——烏蘭諾娃肯定控制住了所有的海關出口。莫林想，這樣莽撞地趕來，無異於『自投羅網』！應該帶卓婭『偷渡』回國才對。

莫林摟緊了卓婭，靠在了禁閉室灰暗的牆壁上。他不免有些沮喪，禁閉室連個窗戶都沒有，根本就無法逃跑。那兩個警察一直守候在門口，顯然是在等待著烏蘭諾娃的到來。

『妳要受我的牽連了，卓婭……』莫林十分愧疚。

烏蘭諾娃是個心狠手辣的女人，不難想像出她將如何處置卓婭。在她野心膨脹的道路上，誰要是妨礙了她，誰就要付出生命的代價。李韵和安德烈就是例證。

可卓婭卻並不後悔。她柔聲對莫林道：『不要這樣想，莫……我已經是你的太太了，患難與共不是中國的好傳統嗎?』

聽卓婭這樣說,莫林更加傷楚。他暗暗發誓要保護好卓婭——如果烏蘭諾娃願意,他會用那九十八億的遺產,來交換卓婭的生命。他不能看著卓婭也因為他而慘死在烏蘭諾娃的手中。

他們摟抱在一起,等候著命運的裁決。

稍頃,兩個便衣警察匆匆趕來,向門口守衛的警察出示了證件,然後冷酷地對莫林和卓婭道:『走吧!』

『烏蘭諾娃怎麼沒有親自來?』莫林怨氣沖沖地質問:『難道她就不怕你們抓錯人了嗎?』

『少廢話!』

他們粗暴地將莫林和卓婭推出了禁閉室,推上了汽車。

當汽車剛發動開,突然,九輛豪華『奔馳』風馳電掣地迎面奔馳過來。是『帝國』的車隊!莫林清楚地看見第三輛上坐著的就是烏蘭諾娃和娜達莎!

便衣警察看見,急忙對莫林和卓婭道:『快趴下!』

莫林和卓婭急忙隱伏在座位下。那兩名便衣警察加大油門，與『帝國』車隊擦身而過。當汽車疾馳出機場的時候，他們聽見後面傳來『奔馳』追擊的聲音。幸好這兩位便衣受過嚴格的訓練，駕車穿行在車流裡，忽東忽西飛快逃奔。這使莫林想起了在卡捷琳娜大飯店被綁架的那個夜晚。看來這兩位肯定是馬亞契科上校的人！

在一處小巷旁，汽車緊急煞車。他們讓莫林和卓婭下車，然後繼續逃奔。莫林和卓婭匆忙藏在了巷口拐角的電話亭後。稍頃，他們便看見『奔馳』車隊瘋狂地追擊而來。車隊經過他們的身邊，沒有停下。顯然，烏蘭諾娃等人並沒有發覺莫林和卓婭已經下車了。

莫林和卓婭轉身加快腳步，隱進了小巷深處。躲過這場刼難，使莫林對馬亞契科上校另眼相看了。看來馬亞契科上校仍還在牽掛著他和卓婭，否則，不會派人來營救他們的。可這樣一來，無疑會增添烏蘭諾娃對他的仇恨，他們之間的決戰必將更爲激烈和殘酷了……

那一場決戰持續了將近三個月，最終以馬亞契科上校失敗而告終。烏蘭諾娃拉攏住了海參崴的駐防司令官和堪察加半島的遠東第一軍區司令官，得到了軍方強有力的支持。因此，曾經不可一世的遠東克格勃系統很快土崩瓦解。

由於大勢已去，有些克格勃竟然反戈一擊，這更加速了馬亞契科上校走向死亡。馬亞契科上校最後是被他的兩個保鏢出賣了。在那艘豪華的遊艇上，兩名保鏢分別向他開了一槍，擊中了他的雙腿。他當時稍稍一愣，便對他們發出幾絲冷笑。血很快就順著褲管流淌下來。他差不多是跪伏在艙板上，對兩名保鏢說：『跟了我這麼多年，讓你們受苦了……謝謝你們！』

兩名保鏢當即傻了，不知所措。他們本來準備用馬亞契科上校的腦袋向烏蘭諾娃邀功請賞。可這個時候，卻又猶豫起來。畢竟，他們跟隨了他多年。

豪華遊艇向碼頭靠去。烏蘭諾娃的人馬已經在岸邊守候多日了，見到遊艇靠岸，紛紛搶將上來。他們提著幾支火焰噴射器，準備用沖天的大火送馬亞契科上校上西天。可就在那時候，一艘小型的快艇飛快地撲近。沒等烏蘭諾娃的人馬明白是怎麼回事，轟然一聲巨響，一捆催淚瓦斯彈爆炸了。碼頭上人仰馬翻，慌亂不堪。等硝煙散去，稍稍穩定下來後，他們吃驚地發現馬亞契科上校竟然無影無蹤了。

會是誰甘願冒著死亡的危險，救走了馬亞契科上校？——烏蘭諾娃在疑惑不解的同時，恨得咬牙切齒。

她做夢也沒有想到會是黑熊老喬救了馬亞契科上校。馬亞契科上校自己也沒有想到來的會是黑熊老喬！

當黑熊老喬背著無法行走的馬亞契科上校翻越阿烏爾山脈的時候，馬亞契科上校百感交集。他現在趴伏在一個仇人的後背上。這個仇人的後背寬闊、厚實，充滿了男人的蒼勁。眞是時事難料——馬亞契科上校怎麼也想不到竟然會有這樣一天！

『我沒有想到你還活著，這些年你藏在哪裡？』馬亞契科上校不解地問。

『我哪裡也沒有藏，就在這阿烏爾山！』黑熊老喬說。

馬亞契科上校感到十分吃驚。黑熊老喬到底是身手不凡，祇要融入了山林之中，那就是屬於他的天地了。

『你不該救我，』馬亞契科上校說：『我們是仇人！』

『這不奇怪——正因爲我們是仇人，我才不能允許你死在別人的手裡。』

哦？馬亞契科上校醒悟過來。是的，這才是黑熊老喬！雖然這麼多年過去了，可黑熊老喬嫉惡如仇的剛烈性格並沒有改變。曾經埋下的怨恨並沒有泯滅。它們發芽了，長大了，現在到了『算總帳』的時候了！

馬亞契科上校覺得有幾分悲涼。他知道黑態老喬要背他到哪裡去。那個地方，埋葬著他們共同喜歡的一個女人。一個中國女人。

到了卓婭母親的墳墓邊，黑熊老喬將馬亞契科上校放了下來。馬亞契科上校看了看荒涼冷寂、被積雪覆蓋的墳墓，心中蕩起了異樣的快慰——如果這裡能夠成爲他最後的歸宿，不是比任何地方都要好得多嗎？

他從墳墓上輕輕抓起一團雪，慢慢塞進了嘴裡。他太乾渴了。他看著墳墓上留下淸晰的手印，暗自思忖：現在，卓婭的母親肯定知道他們來了吧？

黑熊老喬掏出了兩支手槍。他把其中一支丟到馬亞契科上校的面前，道：『看在你是卓婭親生父親的份上，我再給你一次機會——槍裡祇有一顆子彈；我這槍裡也祇有一顆子彈，最後讓上帝來選擇一次，讓卓婭的母親來當我們的裁判吧！』

馬亞契科上校微微一笑，看著黑熊老喬，沒有動。

『拿起槍來——你這個雜種！』黑熊老喬厲聲道。

馬亞契科上校又是那樣微微一笑，仍還是沒有動。

『你不是號稱「惡魔的使者」嗎？』黑熊老喬怒不可遏地斥責著馬亞契科上校：『那就拿起槍來，讓我們最後較量一次！』

馬亞契科上校對他搖搖頭。

『怎麼？難道你害怕了嗎？』

馬亞契科上校又從墳墓上抓起一團雪，塞進了嘴裡。他似品味一般慢慢嚥下去後，又慢慢地道：『老喬……我已經厭倦這一套了。如果能有來生，我寧願去做一個獵人或者一個農夫，也不願意再當什麼上校！我知道你很愛卓婭的母親，卓婭的母親也很愛你，但我卻害了你們……請原諒。其實，我也很愛她。眞的，沒有哪個女人能夠代替她在我心裡的位置……』

馬亞契科上校說得很傷感，也很動情。

黑熊老喬疑心聽錯了——這樣的話也能從馬亞契科上校的嘴裡說出來嗎？有些不可思

議。聽起來，不僅有些懺悔的意味，還有些透悟的意味。或許，當面臨死亡的時候，每個靈魂都在顫慄著？

『老喬，你還活著……讓我吃驚，也讓我高興。我對卓婭也放心了——你一定會幫助她的，對吧？』

黑熊老喬冷冷地注視著他，遲疑著沒有回答。

就在黑熊老喬遲疑間，他忽然看見馬亞契科上校抓起了槍。他下意識地要做出反應，可是，馬亞契科上校的槍口卻指向了自己的太陽穴。馬亞契科上校最後微笑著道：『謝謝你……老喬！但願你別後悔把我背到這裡來，現在，我要找她去了！』

砰然一聲槍聲，馬亞契科上校臥伏在了卓婭母親的墳頭。他像是要擁抱似的，張開了雙臂，緊緊地擁著積雪覆蓋的墳墓。血慢慢流了出來，慢慢浸在了積雪上。

接下來便是一片死寂。

黑熊老喬走過來，先是站在那裡，默然地看著。半晌，他坐了下來，坐在了馬亞契科上校的身旁。天色在一點點地黑沉。松林間滾過了一陣陣林濤聲。黑熊老喬扳開了馬亞契科上校的手，抽出了那支手槍。槍口散發出硝煙的氣味。他端詳了一陣，抬手將兩支手槍丟進了松林裡。

離開的時候，他想，馬亞契科上校說對了，他確實有些後悔──何必要把他背到這裡來呢？

現在，他的靈魂一定是在尋找著她吧？

這令黑熊老喬感到十分的懊喪！

在逃亡了三個月之後，莫林和卓婭祇好放棄了逃離遠東的努力，因爲在每一處交通要道都有烏蘭諾娃的人馬在搜捕著他們。烏蘭諾娃織就了一張『天羅地網』，莫林和卓婭眞是插翅難逃了。

他們倆祇好餐風露宿，在遠東的密林和荒郊野外與烏蘭諾娃周旋。每時每刻，危險都在威脅著他們，這讓他們感到精疲力盡。有一次，他們三天之中祇吃了一只麵包，被圍困在一條峽谷裡險些凍死。密林中的野獸也成爲他們的大敵──他們曾在一個黑夜裡潛進一處山洞裡安歇，可天亮後發覺山洞的深處竟然還酣睡著兩隻黑熊！莫林慌忙攬緊卓婭躡手躡腳地逃了出來。至於野狼和狐狸什麼的，更是頻繁地遭遇。有時候，都險些要相撞在一起了！

那天凌晨，他們到達了隱在深山老林中一座古老的小鎮。這個小鎮名叫西蒙琴科鎮。莫林初聽這個名字的時候，便有一種不祥之感。這裡是西蒙琴科家族的墓地。西蒙琴科家族幾代人最終都回歸到這裡——莫林暗想，這是不是意味著我也將安葬於此了？

小鎮上差不多還保留著中世紀的古樸。一棟棟木質結構的木克楞佇立在雪野上，顯得意境悠遠深邃。教堂的鐘聲迴盪起來，飄逸出滄桑的韻味。

他們實在太疲羸了，索性走進了小鎮上唯一的一家小酒店。說是酒店，其實不過是兩層高的木克楞房屋。酒店的女主人很熱情地接待了他們，然後將他們安排到了樓上的房間。

看見了久違的地毯、壁爐、軟床什麼的，卓婭興高采烈。她先是衝進了浴室，嘩嘩地放起水來。

『莫——趕快洗一洗！』

將近三個月，他們沒有洗過澡。逃亡路上，根本沒有條件，連能安穩地睡上幾個小時的時候，都不多。

水氣瀰漫開來，浴室變得朦朧。莫林站在浴室門口，打量著卓婭，不免有些心碎。卓婭本來是那種豐韻的女人，可連續三個月的逃亡生涯，卻讓她憔悴了許多。她瘦了，瘦得讓莫林心疼。

卓婭放好了水，脫下衣服，幾乎是撲進了浴室，急渴地洗了起來。她對莫林招呼道：『莫，你也快洗一洗……舒服極了。』

莫林走過去，卻沒有脫衣服，而是充滿愛意地給卓婭搓起背來。卓婭先是愣了愣，而後，默默地把頭靠在了莫林的胸膛上。

卓婭有些陶醉。她動情地說：『這眞好……莫，要是我們能安安穩穩、平平靜靜地在這裡生活在一起，那該多好啊。』

莫林撫摸著她的雙肩，內疚地問：『卓婭……妳跟我這樣逃亡，不後悔嗎？』

『不——』卓婭說：『莫，難道你忘記那匹天馬了嗎？既然命運注定要我陪伴你，哪怕就是去死，我也心甘情願！』

莫林感激地道：『謝謝妳……卓婭。』

莫林摟緊卓婭吻了起來。

在逃亡路上，卓婭曾給莫林講過那個奇異的夢境。莫林對此驚詫不已。那個夢境顯然充滿了隱喻和暗示，這令莫林感到某種惶惑。來自生命底蘊的昭示，是不容漠視或者輕蔑的。現在已經印證了其中的一部份，但剩下的又意味著什麼還將等待著。莫林懂得，這是不可強求破解的天機！

他們一同洗完後，酒店的女主人送上了兩份飯菜。雖然算不上豐盛，但對於在逃亡中的他們來說已經夠『奢侈』的了。他們享受到了生活的樂趣，鬱悶的心情也變得快樂起來了。

突然，卓婭抑制不住，嘔吐起來。突如其來的妊娠反應，令莫林又驚又喜。他輕輕爲卓婭拍打著後背，問道：『是……懷孕了吧？』

卓婭嬌羞地點點頭。

『莫……我要是能把他生下來，該有多好啊！』卓婭祈盼著說。

『妳會把他生下來的，卓婭……這也是我的盼望。』莫林安慰著她說。然後，莫林將卓婭扶到床上，讓她靜躺下來。

『可他來的太不是時候了……』卓婭不由得苦楚起來：『這樣逃來逃去，會把他餓壞的……』

莫林推開窗戶，看見教堂的尖頂上飛翔著鴿群。鴿哨陣陣傳來，撞擊著莫林的心靈。越過教堂的尖頂，後面的群山逶迤，積雪皚皚。雖然是早春三月了，但在遠東仍還是一片冰天雪地。

可忽然間，就在這冰天雪地中，他發現一株嫩綠的樹芽出現在窗外的枝頭上，這給他一種喜悅。這分明是生命的呼喚與等候。

『去他媽的——』莫林終於下了決心，對卓婭說：『卓婭，我準備向烏蘭諾娃妥協。我不能再讓妳奔波了。妳需要休息，需要營養，需要檢查，需要有一個安靜的生活。這樣逃亡下去，不僅會害了妳，也會害了孩子……』

『你怎麼同烏蘭諾娃妥協？』卓婭問。

『那九十八億的遺產，她願意要那就給她好了。我不要了。現在，我祇想同妳安穩平靜地生活在一起。』

『莫——要是眞的能這樣，那就太好了！』

『卓婭……妳不會怪我放棄那筆遺產吧？』

卓婭燦然一笑，道：『莫，對於我來說，你是無價的，祇要能夠擁有你，那九十八億又算什麼？』

『我知道妳會這樣的……卓婭！』莫林十分感動。

『那你怎麼同烏蘭諾娃聯繫？』

『這很簡單——祇要我在這小鎭上轉上一個小時，肯定就有人報告烏蘭諾娃！妳好好休息，我這就出去轉一轉。』

『那你可要小心些。』

『放心，我會的。』

莫林親吻了卓婭一下，然後穿上外套，走了出去。下樓的時候，酒店的女主人衝著他很詭秘地笑了笑。莫林淸楚這是因爲什麼。他懶得搭理她，扭頭走了出去。

果然，剛出酒店不遠，他就發覺身後有兩個男人在跟蹤他。他沒有躲避，也沒有聲張，祇是閑庭信步般地在小鎮上遊覽起來。

繞過教堂，又經過一道木質小橋，他來到了西蒙琴科家族的墓地。那一座座高大古舊的墳墓，似乎在沉默地講述以往沉重的故事。在遠東，在這冰天雪地之上，西蒙琴科大公爵家族的一代代血脈，最終交流到了這裡。

那兩個男人仍在身後跟蹤著他。

他在墓地佇立了良久，然後，猛然回轉身，逕直向他們走了過去。那兩個男人猝不及防，已經無法躲避了，祇好站在那裡，看著莫林向他們走近。

莫林對他們道：『我想你們肯定是烏蘭諾娃小姐的人——請她來吧，我要同她談談！』

兩個男人冷冷地道：『烏蘭諾娃一會兒就到。』

『那好，我等著她！』

稍頃，天空中傳來了隆隆的轟鳴聲。一架直升飛機急速飛來。莫林抬頭憤怒而又厭惡地掃視了一眼，對兩個男人道：『讓烏蘭諾娃小姐到酒店裡找我！』

兩個男人對視著，冷酷地一笑。

莫林不解其意。他剛要向小酒店走去，忽然間呆愣了：小酒店冒出了滾滾濃煙，稍頃，屋頂便竄出了火舌。火舌借助北風，轉瞬間就變成了一條窮兇極惡的火龍，狂舞著吞噬而下。

『卓婭——卓婭！』

莫林發瘋一般向小酒店衝去。可那兩個男人卻死死地挾住了他。他掙扎著呼喊著撕心裂肺大叫：『卓婭——卓婭！』

火龍越發的張狂起來，已經燃紅了半邊天空。紅彤彤赤炭一般的屋脊轟然塌陷……整個小酒店變成了一片火海！

莫林目瞪口呆，彷彿魂魄也已被那條張狂的火龍吞噬了。

直升飛機徐徐降落下來。烏蘭諾娃走出機艙，目光陰冷地打量著莫林。

而娜達莎卻急切興奮地向莫林撲了過來。她摟緊莫林，狂吻不停：『莫——哦……親愛的莫，終於找到你了！』

莫林仍呆然地看著那一片火海，喊著：『卓婭……卓婭……』

把自己打碎再重新塑造，雖然痛苦
但卻可以臥薪嘗膽、伺機而動——

第七章：出擊

回到克拉蘇山莊的那天晚上，烏蘭諾娃沒有再露面。也許，她感到實在爲難。現在的莫林對於她來說，無疑是一個燙手的刺猬，放不得也殺不得。莫林心生異心，令她非常失望。她早已習慣了男人們對她的臣服，不管這臣服是否是拜倒在石榴裙下。而今，竟然出現了這樣一個不願意接受她擺佈的男人，令她氣悶。

而莫林在那個晚上，悲傷得無法自持。他的眼前一直閃現著那條狂舞的火龍。他無法想像在火龍吞噬卓婭的那個悲慘時刻，她該是怎樣的驚懼和疼楚。她就這麼的消失了，從此在這個世界上又少了一個愛他、他也愛的女人。就像李韵一樣。兩個女人都是因爲他而死，又都是那樣淒慘地死在了他的面前，這使他產生出一種深深的負罪感。他覺得對不起她們。在她們冤屈的靈魂遊蕩於幽冥中的時候，他聽到了她們的哭泣聲。這使莫林堅定了向烏蘭諾娃復仇的決心。

他沒有想到的是，娜達莎對他依然熾愛如初。她毫不掩飾對莫林的渴盼與思念。她不停地溫柔親吻著莫林，說：『莫——我每天都在呼喚你，難道你沒有聽見嗎？』

莫林忿恨地推開了她。儘管莫林知道娜達莎不過也是烏蘭諾娃的一只棋子、一個犧牲品而已，同陰謀和罪孽並沒有多大的關係，但莫林仍無法平靜地對待她。如果不是因爲有她在糾纏著，或許，卓婭還不至於葬身火海。

莫林的眼前仍閃現著那條狂舞的火龍。赤炭一般的屋脊墜落而下的時候，整個天空都彷彿被燒成了一大塊的焦炭。甚至連雲彩都被輝映得一片血紅。如果眞的有靈魂存在，那麼，他相信卓婭的靈魂在那個時刻正驚懼地飄蕩在雲間，哀哀地望著他。

『莫……親愛的！失去了你，我才知道你對我是多麼的重要，我不能沒有你，莫！』娜達莎又親吻著說。

莫林痛苦不堪。他實在無法忍受了，暴怒地又推開娜達莎，吼道：『請妳閉嘴！——我不願意看見妳！』

娜達莎被推搡得險些摔倒，猛然間呆愣了，不知所措。她好像不明白自己做錯了什麼。她想依偎進莫林的懷抱中，可看看莫林的陰鬱忿恨的臉色，禁不住詫異。她以爲莫林祇是被綁架走了的。她以爲莫林還愛她。她以爲莫林也會像她一樣在思念著她——難道不是新婚燕爾嗎？

娜達莎一副委屈的神情。

莫林轉身躲進了浴室。他泡在衝浪式的浴盆裏，一顆顫慄的心仍在苦痛不已。溫熱的水流海浪似的在潮動著。莫林壓抑著低低地哭泣起來。他已經好多年沒有流過眼淚了。從偷越國境後，儘管遇到了一連串的挫折和磨難，但都沒有流過眼淚。可現在，他實在難以控制自己。他覺得失去得太多太多，也失去得太殘酷了！

皂泡在一個個地破滅，就彷佛是莫林的那些期待一般，一個個被殘酷的現實所擊破。先是李韵，而後又是卓婭！哦，兩個女人！兩條生命！莫林的淚水無法抑制。他掬了一捧水瀑到了臉上，一股溫熱隨之流淌而下。他覺得渾身都在哆嗦。

娜達莎不知道什麼時候已進來了。她先是在一旁呆看著莫林，良久，慢慢靠過來，跪在浴盆旁，心疼地將莫林摟進了懷裏。她想給莫林幾分安慰，用一顆女人溫情的心，來撫慰他。然而，沒有想到，被驚擾了的莫林大發雷霆。莫林發洩一般猛然又將娜達莎推翻，吼道：『滾開——快滾開！別再來煩我！』

『莫……』娜達莎慢慢爬起身，委屈地看著莫林：『別這樣……親愛的，別這樣對待我……你一定很累了，來，讓我幫你洗個澡，放鬆放鬆，好好休息一下，就會好的！』

莫林幾乎紅了眼睛，道：『我討厭妳，娜達莎，現在，我討厭看見妳——妳馬上給我滾開！』

『莫——可是我愛你！』娜達莎含淚慢慢褪下了睡衣：『莫……你看，我已經把你的名字紋在了這裏，我天天在祈禱，讓上帝保佑你平安回到我的身邊！』

莫林猛然間呆怔了。細看，果然，在娜達莎的胸溝中，紋著一行俄文：西蒙琴科·莫。

『以前我不懂得愛，但現在懂了，莫——在失去你的這些日子裏，每天我都在焦急地等待著。我知道你會回來的，我知道還要做你的太太，這已成爲我生活的信念，莫！』

娜達莎將莫林的手拉過來，摩挲著她胸溝中的那一行字。每一個字母都有一種凸現感。她用在紋它們的時候，娜達莎究竟忍受了怎麼的痛苦，莫林雖然不得而知，但卻不難想像。她用這樣古怪得簡直有些離奇的方式來表達她的情感，出乎莫林的意料。他注視著那一行字，心裏竟然像打翻了五味瓶，酸甜苦辣澀一起在奔湧。

『娜達莎，』他移開了目光，看著娜達莎的眼睛說：『我從沒有愛過妳，妳知道嗎？』

『這不可能，莫！』娜達莎驚異地發愣：『莫……你不是還同我一起去度蜜月了嗎？』

『那不是愛……不是！』

『我不懂，莫……既然一起去度蜜月，怎麼會不是愛？』

『我愛的是卓婭……』莫林的聲音低沉下來。

『卓婭？就在你被綁架的這段時間裏愛上她的？』

『不是，我們以前就認識。』

『可她已經……死了，不在了，莫！』

『不……她還在，在我的心裏。』

『可你是個男人，莫，多愛一個女人並不會讓你失去什麼！』

『這是妳的理解，可我不是這樣的男人。』

『莫……不要拒絕我，』娜達莎再次撲過來，淚流滿面地哀求道：『給我一點愛……一點點，就會讓我滿足的……莫！』

娜達莎緊緊摟住莫林，好像害怕他會從她的懷抱裏突然飛走了似的。她慢慢甩開睡衣，依偎進浴盆裏，趴伏在莫林的胸膛間哭泣起來。她不能掩飾她的傷心，也不能掩飾她的懼怕。她傷心的是莫林竟然會說根本不愛她；懼怕的是莫林會因此眞的離開了她。在莫林之前，她祇是一個充滿幻想的女孩。但自從跟莫林結婚以後，她幾乎是在一夜之間，成就了自己，使自己成爲一個多愁善感的女人。女人不經過婚姻永遠也成熟不了。

這又讓莫林想起了西蒙琴科小鎭上那家古樸的小酒店，想起他和卓婭在一起時的歡悅。那是生命歷程中的一種最爲眞切的交融，決不是娜達莎能夠取代得了的。

他彷彿又聽見了卓婭悲哀的呼喚……

從春天到夏天，雖然季節轉換了，可莫林的心境卻沒有改變，一直沉浸在失去卓婭的痛苦之中。雖有娜達莎的百般撫慰，也無濟於事。莫林覺得自己被徹底地粉碎了，體無完膚，每一根血脈都在疼楚。娜達莎十分心疼。她祈求烏蘭諾娃給莫林安排一個合適的工作，試圖用新的環境來幫助莫林解脫，但沒等烏蘭諾娃同意，卻先被莫林拒絕了。莫林不願意與烏蘭諾娃同流合汚。

幾乎每天的黃昏，莫林都會躑躅在克拉蘇山莊後的小教堂附近。柵欄依舊。風鈴也依舊在叮噹作響。小教堂尖頂豎立的金黃色的十字架，在凝重的暮色裏，顯得異常的沉重和壓抑。莫林注視著它們，默默地在對話。

他是在與卓婭和李韵進行對話。這裏分明就是通往幽冥世界的一道無形的門。現在，莫林就站立在這道門前。他對卓婭說，卓婭，我會爲妳報仇的！他對李韵說，李韵，儘管發生了那樣的醜惡，但我現在知道那不是出於妳的本意，妳是被一個陰謀陷害了，我也會爲妳報仇的！

李韵，尤其是卓娅的死，給莫林的打擊實在是太大了。他現在不但對烏蘭諾娃充滿了仇恨，而且對『混血兒帝國』也充滿了仇恨。在他看來，正是由於這塊畸形的土壤，才滋生了種種的醜惡。他發誓要把這塊土壤連同烏蘭諾娃一起『摧毀』！

想到這，莫林倒有些後悔了——還眞不如當初答應娜達莎，幫助烏蘭諾娃工作。因爲要實現『摧毀』的目的，無疑需要首先參入『帝國』的事務。有句俗話，叫做『堡壘最容易從內部攻破』！越接近烏蘭諾娃，越接近『帝國』的高層，才可能尋找到最佳時機，進行出擊。當然，這就意味著他必須把自己破碎，然後再重新塑造。這雖然痛苦，但可以臥薪嘗膽，後發制人！

娜達莎牽著一匹馬尋來：『莫，我知道你一定在這裏……我們一起騎馬兜風好嗎？』

莫林搖搖頭。他知道娜達莎又是想來撫慰他，但他已不需要了。現在，他需要積蓄『摧毀』的力量和時機！

『莫……你每天都來這裏，難道你信奉天主教了嗎？』

『一個人需要修煉的是靈魂，至於信奉什麼教並不重要。』

『可我覺得天主教最爲善良、平和了。』

『在這裏？』莫林譏諷似的撇嘴。其實，在這個充滿陰謀和醜惡的克拉蘇山莊裏，這座小教堂簡直就是天主教的恥辱。

莫林翻身上馬，繞過娜達莎抓緊了繮繩。娜達莎就勢依靠在莫林的懷裏。這一次，莫林自然沒有躲避，也沒有推開。他祇是一抖繮繩，讓馬飛奔起來。娜達莎自然能夠感覺到莫林情緒的變化，他不再苦悶，也不再冷漠了，這使娜達莎感到由衷地喜悅。

『這是要去哪裏，莫？』

『去找妳姐姐烏蘭諾娃。』莫林說。

『找她？爲什麼要找她？』

『妳不是一直希望我能幫助她工作嗎？如果她願意安排的話……』

『這是眞的？——莫，你答應了！』

娜達莎興奮異常。莫需要這樣的契機來解脫他自己，否則，整日被困擾在痛苦中，誰也無法忍受的。但願莫能就此改變自己。

他們在九號別墅的門前下馬，一同走了進去。烏蘭諾娃正在辦公室裏審查著一座水電站的投資項目。辦公桌上已經擺上了水電站的模型，一些設計人員正在向她匯報。她的臉上極其平靜，幾乎不帶任何表情。她默默地聽完，沉吟了片刻，道：『這樣看來，意味著我們的投資需要十五年左右才能收回來，是嗎？』

『是這樣。』

『那好，先生們——這個項目就此取消，沒有必要再搞下去了。因為十五年對於我來說，實在是太漫長了，我不能允許我的資本躺在一條山溝裏睡十五年的大覺！』

『可是……』其中一位上了年紀的設計者，小心翼翼地選擇著詞句，爭辯道：『這個項目是克里姆林宮點名讓我們承擔的。』

烏蘭諾娃不屑似地哼了哼，道：『克里姆林宮無權對我烏蘭諾娃指手劃腳！』

『這樣……他們肯定要不滿了。』

『他們是否滿意，難道要作為我們決策的依據嗎？簡直不可思議！我們不必看別人的臉色來行事！好了，從此不要再跟我談這座水電站，我對它已經不感興趣了！先生們——祝你們好運！』

烏蘭諾娃轉身走出了辦公室。她看見莫林和娜達莎等候在書房裏，稍稍一愣。自從卓婭死後，這幾個月來，莫林一直拒絕見烏蘭諾娃。

『哦？是騎馬騎累了到這裏來歇歇腳還是有事？』

莫林看著她，感到一陣噁心。這個女人總是在『表演』！總是虛僞地面對她眼前的世界！

還沒有等莫林開口，娜達莎便搶先道：『姐姐——莫答應了！莫答應幫助妳工作了！妳一定會高興的，是嗎？』

『這倒是個好消息——眞的嗎，莫？』烏蘭諾娃注視著莫林。

『如果妳肯安排的話，我將不勝榮幸！』莫林很冷漠地說。

烏蘭諾娃目光炯炯地盯視著莫林，好像要看穿他內心深處的活動。可偏偏莫林卻極是冷靜，根本不給她機會，這讓烏蘭諾娃暗暗惱火。

娜達莎仍興奮不已：『姐姐……莫願意工作，就說明他要留在山莊不走了，這可太好了！我一直在擔心莫會離開的！姐姐，我們家又多了一個人，是吧？那就讓莫做妳的高級助理好嗎？』

烏蘭諾娃搖搖頭，道：『娜達莎，不是誰都可以做我的高級助理的。如果莫眞想工作，我倒可以安排，衹是莫不要覺得委屈——小教堂裏缺一個清潔工，莫，你想爭取嗎？據說現在已經有兩位候選人在競爭呢！』

『姐姐……』娜達莎目瞪口呆：『妳，妳這是在開玩笑吧？』

『我從不開玩笑，娜達莎，尤其是在我的書房裏！』

坦率地說，這個安排出乎莫林的意料。雖然事先他也並沒有奢望烏蘭諾娃能馬上安排他參入『帝國』的高層管理，但怎麼也沒有想到會是『小教堂的清潔工』！這說明烏蘭諾娃根本不信任他。不僅不信任，還要就此機會來羞辱他！

『謝謝——我會幹好的！』莫林站立起來，似乎要告別。

『莫……這可不行！』娜達莎急得直拉莫林的衣袖：『我的丈夫去做清潔工，這簡直是天方夜譚！』

『儘管我也覺得這樣的安排不太合適，但這裏可不是個討價還價的地方。走吧，娜達莎！

回去收拾一下行李，搬到小教堂裏住！』

『什麼？連六號別墅我們也不能住了？姐姐，是這樣嗎？』

『我並沒有這個安排！』烏蘭諾娃說。

『可我覺得，一個清潔工住在六號別墅，實在不倫不類！娜達莎，妳現在是一個清潔工的太太，如果眞的像妳所說的那樣愛我，應該跟隨著我，何況，小教堂又不是刑場！』

『可……可，莫，你是……』娜達莎欲言又止，祈求一般望著烏蘭諾娃。烏蘭諾娃輕笑了笑，鼓勵道：『沒關係，妳現在可以說了，娜達莎！我想莫已經知道他自己的身世了。馬亞契科上校不會不告訴他，莫是西蒙琴科大公爵的後裔，這已不再是什麼秘密了！是吧，莫？』

莫林冷冷一笑，道：『不僅是西蒙琴科大公爵的後裔，還是九十八億美元遺產的繼承者——這樣身分的人，現在要去清掃小教堂了，這應該成爲一條新聞。』

『妳瞧，莫知道得更多！』烏蘭諾娃道：『看來馬亞契科上校連你的身世證明也交給了你，是吧？』

『可惜，那份證明已經在西蒙琴科小鎮的大火中已化爲灰燼！』

『眞是可惜了——不過，這對於我來說，卻是個好消息，因爲現在衹有我還存有一份你的身世證明了，對嗎？』

『這對妳來說，並不見得就是一個福音。』

莫林冷冷地說完，轉身走了出去。他忍受下了烏蘭諾娃的羞辱。儘管這一次機會沒有尋到，卻反被烏蘭諾娃耍弄了，但莫林並不沮喪。因爲既然邁出了第一步，就不怕以後沒有轉機。

他暗暗叮囑自己：臥薪嘗膽……臥薪嘗膽去！

轉機是在兩個月之後才來到的。那時候已經是六月末，整個遠東被濃郁的葱綠所包裹著，分外妖嬈。到處流溢著沁人心脾的芳香。說『風景這邊獨好』，毫不誇張。

本來烏蘭諾娃是最喜歡六月的。那是一個可以穿超短裙的季節。她從少女時代，就知道超短裙是最能襯托出她魅力的服裝。她那兩條修長的雙腿，飄逸出妙不可言的誘惑，令眼前過往的男人丟魂失魄。女人總是喜歡被男人的目光所追逐的。

可在這個六月裏，烏蘭諾娃卻陷入了一場煩惱中：她向某阿拉伯國家走私出售的兩顆衛星，在運輸途中被日本北海道的麻原秀郎劫持了。麻原秀郎說起來也並不陌生，他是日本關東以北『山口組』的頭號首領。以前烏蘭諾娃曾同他打過幾次交道，相互之間還能夠做到『互通有無、利益均分』。可這次麻原秀郎竟然利欲熏心，不僅劫持了衛星，而且還硬是不承認他們劫持了。

烏蘭諾娃十分震怒。她緊急召集手下的幾位高級助手和智囊團人員磋商對策。衆人七嘴八舌。有的主張不妨動用武力來解決這場糾紛，有的則主張『以牙還牙』，設法劫持麻原秀郎的油輪。顯然，這都不是良策。烏蘭諾娃一一否決。北海道與俄羅斯的遠東地區隔海相望，如果眞要與『山口組』決裂，拚將起來，兩敗俱傷且不說，而且勢必後患無窮。麻原秀郎可不是馬亞契科上校。她能將馬亞契科上校斬草除根，但對麻原秀郎卻不能。畢竟不是在同一個國度裏。所以，儘管烏蘭諾娃震怒、忿恨，但仍沒有失去理智鑾幹。她想最好的辦法應該是『以柔克剛』。

有一點是明確的，肯定要同『山口組』進行一番較量了。

就在這時候，莫林主動找到了烏蘭諾娃。莫林顯然是有準備而來的。他對烏蘭諾娃道：

『我奉勸妳冷靜一些，在日本想與「山口組」決戰，無疑是以卵擊石。』

烏蘭諾娃：『你有何高見？』

『如果妳相信我，我去處理這件事情。』莫林自信地請戰。

烏蘭諾娃有些詫異地看著他，顯然她沒有想到莫林會提出這樣的請求。她思忖了一會兒，話中有話地道：『是不是在克拉蘇山莊住得太久了，又想要出外散散心去了？』

莫林當然聽得懂她的意思，但沒有爭辯也沒有解釋，卻道：『如果能一舉兩得，又何樂而不爲呢？』

『你是想自己一個人去？』

『不，帶著我的太太娜達莎一起去。』

烏蘭諾娃認眞地打量著莫林，似乎要從莫林的眼睛裏觀察出什麼來。但是沒有，莫林很平靜。這讓烏蘭諾娃感到幾分不安。莫林在這個時候提出這樣的請求，要麼又是想乘機逃走，要麼就是向她徹底降服的一個表示。烏蘭諾娃自然希望能是後一種。那樣，不僅意味著莫林與她們姐妹的徹底和解，也意味著遠東最有勢力的家族即將誕生了！但，如果莫林乘機在日本出逃呢？

『你認爲我會同意你這樣的請求嗎？』

『我想會的——烏蘭諾娃總是與衆不同，這一次也不應該例外！』

『這是在激將我？』

『不是。』

『坦率地說，我以前曾經信任過你，但現在……』烏蘭諾娃搖搖頭，直視著莫林。

莫林明白她欲言又止的含意。他並不討厭這樣。其實有許多時候，大可不必將話說盡。兩個人彼此心照不宣，何需還要多嘴多舌。在這一點上，他們兩個都有一種『棋逢對手』的感覺。

『我也坦率地說，妳是否信任我，我並不感興趣，我感興趣的是這種少見的挑戰機會——與「山口組」關東以北的頭號首領較量一番，這樣的機會並不很多，是吧？』莫林『避實就虛』地道。

烏蘭諾娃聽了，輕鬆地笑了起來。莫林如果是因爲這個原因來請戰，她十分理解，而且也相信。也許，他是想趁此良機，來顯現一下他自己的勢力，從而征服她們姐妹？

『莫——那這機會就屬於你了！』

烏蘭諾娃笑了笑，然後，將一張名片遞給了莫林：『這是我們在日本地區的總負責人胡鵬先生，這上面有他的地址和電話，我會通知他完全服從你的安排。』

莫林接過來掃視了一眼，然後將名片燒掉。他敲敲腦門對烏蘭諾娃解釋道：『記在這裏更安全些。』

『麻原秀郎可不是個容易對付的傢伙，他不僅在日本很有勢力，在東南亞一帶也有影響。他十分陰險、狡猾，你不要輕視他。』

莫林意味深長地道：『祇要用心去尋找，再非凡的人物，也有可以擊破的弱點——這也包括妳我在內！』

烏蘭諾娃聽了，一怔。

莫林常常令她覺得詫異。

北海道的風光確實令人沉醉。娜達莎自從到達那裏，簡直有些樂不思蜀。她不知道莫林此行的任務，還以爲莫林是帶她來度假的，十分興奮。她每天糾纏著莫林到處遊玩，逛廟宇，去商場，甚至還乘坐遊艇在海上遊蕩了一天。莫林隨她興致所至，奉陪左右，表現出一副其樂融融的樣子。莫林知道，在暗處，一定會有幾雙眼睛在盯視著他。那是『山口組』的人。麻原秀郎不會對他毫不戒備的。當然，這正中莫林下懷。

選了個週末，莫林買了一束鮮花，帶著娜達莎直接去了麻原秀郎的家拜訪。那是一座古樸的庭院，圍牆上爬滿了藤蔓。門樓上，鏤刻著一隻蒼鷹，給人一種威嚴的感覺。當莫林的汽車駛近門前時，立即從假山旁走過來一位青年。他聲稱遵照麻原秀郎的吩咐，在此恭候莫林及夫人的光臨。莫林是以烏蘭諾娃親友的身分請求拜見麻原秀郎的。他知道不會遭到拒絕——如果拒絕了，豈不等於承認衛星是他們劫持的嗎？精明的麻原秀郎，決不會留下愚蠢的疏忽的。

隨那青年走進庭院，莫林看見一位四十來歲的中年人正站立在葡萄樹下修剪枝蔓。他穿著和服，身材並不高大，相反倒有些瘦弱，還戴著金絲眼鏡，顯得十分斯文，簡直就像是個大學教授。莫林知道這人便是麻原秀郎！

麻原秀郎迎接過來，好像老朋友一般與莫林擁抱了一下，然後對莫林和娜達莎彬彬有禮地道：『非常榮幸在寒舍接待尊敬的夫人和莫先生。』

莫林和娜達莎道謝後，坐在了葡萄樹下的木凳上。那幾只木凳均是用木椿修就的，透露出『天然去雕琢』的意味。娜達莎極是喜歡，讚嘆不已。

麻原秀郎剪下兩串葡萄，沖洗後放在他們倆面前，道：『這是我親手栽種的葡萄，請品嘗——』

莫林隨手摘下一顆丟進嘴裏，品味道：『味道非常美妙！』

麻原秀郎十分高興：『謝謝誇獎！——這本來是一株野葡萄，是我在富士山下採來的。當時，它已經枯萎了。我夫人和女兒都說這樣的葡萄根本栽不活，但我不相信，還是把它栽在了這裏——現在，它不但長得很茂盛，而且，這葡萄的味道確實在市場上是買不到的。』

接下來，莫林便十分誠懇地向麻原秀郎請教起栽培葡萄的技術。他羨慕地表示回去以後，一定也要上山採一株野葡萄來栽培。天然的味道，與經過人工『修飾』過的味道的確不一樣。兩個人竟然像是一對農藝師一般，談天說地，但就是絕口不提衛星的事。

麻原秀郎漸漸疑惑起來。自從莫林和娜達莎一踏上北海道，他倆的行蹤一直被麻原秀郎掌握著。他當然首先想到的就是那兩顆衛星。在這個時候，克拉蘇山莊的人出現在北海道，如果說僅僅是來度假而與衛星無關，簡直是不可思議的事情。況且，來的又是烏蘭諾娃的妹妹和妹夫！可這個年輕人爲什麼不提要求呢？

麻原秀郎其實是在等莫林先提出來，然而，莫林根本沒有談及衛星。他好像眞的對栽培野葡萄感興趣了，包括各種的技術細節都詢問得十分仔細——難道他們眞的僅僅是來度假的嗎？

這時候，麻原秀郎的夫人和女兒靜枝小姐一同回來，看見有客人，禮貌地過來問候。娜達莎覺得實在無聊，跟麻原夫人和靜枝小姐進了屋內，說著女人的悄悄話去了。

莫林讚嘆地說：『麻原先生眞是好福氣，有這樣的夫人和女兒，眞讓人羨慕。』

麻原秀郎也讚嘆道：『莫先生的夫人也很漂亮嘛。』

莫林知足似的點頭道：『是啊是啊，生活就是這樣的美好！』

莫林很貪饞似的很快將兩串葡萄全吃光了。

莫林看看天色，道：『真是不好意思。今天太晚了，就不再打擾麻原先生，改日我再來拜訪，歡迎您有機會訪問克拉蘇山莊，我想那會使烏蘭諾娃小姐高興的。』

莫林起身準備要走，這更讓麻原秀郎感到不解了。他端詳著莫林，目光漸漸變得陰冷，道：『莫先生，你這就要走？』

『是的——謝謝您的葡萄，如果可能，我還想要兩串回飯店吃去，可以嗎？』

莫林沒有等麻原秀郎的同意，便操起剪子剪下了兩串葡萄。他意猶未盡地端詳著它們，道：『中國有句古話，叫做秀色可餐，真是不假——看著它們，就很有胃口。』

麻原秀郎盯視著莫林道：『莫先生——難道烏蘭諾娃小姐沒有吩咐你來討要衛星的嗎？為什麼你一個字也不提？』

『衛星？……哦，對了，是有這麼回事！』莫林拍拍腦門，好像剛想起來。他摘了兩粒葡萄，很不體面地丟進嘴裏，道：『我對生意上事……總是記不住。北海道是個迷人的地方，我和太太準備在這裏好好遊玩一陣子——至於衛星嘛，以後我們再找機會談吧。』

莫林叫出娜達莎，辭別了麻原秀郎。麻原秀郎站立葡萄蔓下，望著莫林的背影，非常鄙夷地搖頭。他簡直不能明白，這樣一個毫無頭腦的傢伙怎麼會成爲烏蘭諾娃的妹夫了？

在駕車駛向飯店的路上，莫林找到了一處公用電話。他撥通了胡鵬的電話。他沒有寒暄，也沒有嚕嗦，祇沉著、冷靜地吩咐道：『請準備好，我隨時有可能要往克拉蘇山莊空運一集裝箱的貨物！』

在他放下電話的同時，順手便將那兩串葡萄丟進了垃圾箱中。

載著集裝箱的大卡車急速地開進克拉蘇山莊，停在了六號別墅的門前。司機匆忙下車，向波波娜通報：『莫林先生從北海道緊急空運來一集裝箱的貨物，說要烏蘭諾娃小姐親自驗收。』

波波娜不解地進去向烏蘭諾娃通報。烏蘭諾娃疑惑地皺眉：難道衛星要回來了嗎？不可能這麼快吧？

烏蘭諾娃出來令人打開了集裝箱，看上去像是空的，再仔細一瞧，竟然在集裝箱的角落裏，驚嚇地蜷縮著一老一少兩個女人。

是兩個日本女人。

那老女人驚懼地嘟囔出一串日語，波波娜爲烏蘭諾娃翻譯道：她說她們是痲原秀郎先生的夫人和女兒，希望我們不要爲難她們。

其實不用翻譯，烏蘭諾娃也已明白了所發生的事情。烏蘭諾娃開心地大笑，對波波娜道：『莫比我想像得還要幹練！』

烏蘭諾娃馬上吩咐好好招待這一對母女，將她們安排進三號別墅。現在，她們不僅成爲『人質』，而且還成爲了討價的砝碼。烏蘭諾娃相信有這樣奇異的砝碼掌握在手，任憑痲原秀郎再怎麼陰險、狡詐，最後也得降服的！

『看來讓莫去清掃小教堂，確實委屈了他——波波娜，妳說是吧？』烏蘭諾娃返回辦公室的時候，問波波娜。

波波娜沉吟了一下，沒有馬上回答。自從莫林重新回到克拉蘇山莊後，波波娜整日都在提心吊膽，生怕莫林告發了她。與馬亞契科上校的『暗渡陳倉』，莫林不可能不知道。因爲她在卡捷琳娜大飯店的那個夜晚，給過他一把金黃色的鑰匙。當然，那是個誘餌。就是那個誘餌，讓莫林被馬亞契科上校綁架了。儘管馬亞契科上校死後，波波娜已暗自救出了備受折磨的老母親，但卻留下了這個致命的隱患和威脅。她與莫林見過幾次，但莫林絕口不提那把金黃色的鑰匙。這更令波波娜惶惑不安。莫林不提，並不能說明他忘記或者說沒有意識到，相反，正說明莫林是要利用這個『把柄』來控制她。祇不過，時機未到罷了。

如果要擺脫這個隱患和威脅，最好的辦法就是唆使烏蘭諾娃除掉他！但，無疑，這也需要等待時機！

波波娜沉吟了半晌，對烏蘭諾娃道：『莫……確實非常精明、幹練，如果他不是心懷異心，那麼，讓他來做妳的高級助理，肯定要比我強得多！』

『哦？』烏蘭諾娃感興趣地看著波波娜：『波波娜，把話說清楚些，好嗎？』

波波娜想了想，道：『烏蘭諾娃小姐……難道妳眞的沒有發覺莫的眼睛裏充滿了殺機嗎？』

烏蘭諾娃聽了，心頭猛然一沉。也許是她過於自負了，放鬆了對莫的警惕。莫會恨她，她知道。但莫會對她下手嗎？這世上還會有一個男人對她烏蘭諾娃下手?!這豈不說明她對男人失去了魅力了嗎？烏蘭諾娃不願意承認這個，因爲她覺得她對男人的魅力是永恒的！

烏蘭諾娃陷入了沉思之中。

這時候，電話鈴忽然響了起來，波波娜接起，聽完後，告訴烏蘭諾娃，是三號別墅打來的，說麻原夫人和女兒被驚嚇得吃不下飯！

『這可不行！』烏蘭諾娃不由得惱火地道：『如果她們餓死了，我們還怎麼討要那兩顆衛星？』

烏蘭諾娃說著，帶著波波娜向三號別墅趕去。現在，她把麻原夫人和女兒就當成了那兩顆衛星……

麻原夫人和靜枝小姐是在逛完超級市場回家的路上遭到綁架的。麻原夫人買了一串鑽石項鍊。靜枝小姐買了一套從巴黎進口的時裝。她們就像所有的女人一樣，都有逛商場的嗜好。

沒有想到這嗜好爲莫林提供了絕好的機會。

已是黃昏時分，麻原秀郎才接到了夫人和靜枝小姐保鏢的報告。那兩個保鏢已在一間地下室裏昏睡了將近三個小時。他們祇記得是遭受一陣突如其來的煙霧襲擊之後，便不省人事了。

麻原秀郎直接的反應就是莫林！

麻原秀郎氣急敗壞地闖進了希爾頓飯店的總統包房。他當然不會是一個人來的，十幾名保鏢圍住了房間。

豪華房間內正迴盪著浪漫的樂曲。娜達莎隨著樂曲在翩翩起舞。當麻原秀郎等人氣勢洶洶地闖進來時，她十分吃驚地看著他們。

而莫林卻微笑著在喝著白蘭地。『麻原先生——我想你會來的，來一杯白蘭地怎麼樣？』

麻原秀郎急劇地抽搐著嘴角，撲過來，揪住莫林的衣領：『你這個混帳！把我的夫人和女兒弄到哪裏去了？』

莫林勸慰似的道：『別著急，麻原先生，夫人和靜枝小姐現在已經到了克拉蘇山莊，她們將在那裏遊玩一些日子，您放心，烏蘭諾娃小姐肯定會招待好你的夫人和靜枝小姐的。』

麻原秀郎咬牙切齒地發狠道：『我要把你撕成碎片，沉到海裏餵鯊魚！』

『您不會的，』莫林微笑著說：『麻原先生，對於你來說，什麼更重要？多爲你的夫人和靜枝小姐想一想吧，麻原先生。』

麻原秀郎惱怒地不知該如何發洩。

他後悔輕視了這個混帳。如果不是受了那幾串葡萄的影響，他不會撤掉對莫林的監視。可從那天莫林和娜達莎拜訪之後，他覺得爲一個蠢笨的傢伙浪費精力實在得不償失，便大意地將監視哨給撤掉了。這個疏忽導致了莫林有機可乘！麻原秀郎十分沮喪。更令他沮喪的是，現在，他甚至連討價還價的餘地都沒有——就像莫林暗示的那樣，夫人、女兒與衛星相比，究竟什麼是最重要的？

『麻原先生，今天我們來好好談談衛星的事情，如何？謝謝你爲我們保存了這麼久，你準備什麼時候發貨？』

『我已經對烏蘭諾娃小姐說過了，衛星我們根本沒有見到！你們這是無理的要求……』

『哦，那可眞委屈你了。可衛星是在擇捉島附近被人劫持的，我們想像不出如果不是你，誰還有這等膽識和魄力？』

『……』麻原秀郎恨恨地瞪視著莫林。

莫林仍舊微笑著道：『等衛星一到目的地，我保證夫人和靜枝小姐會平安回來的！』

麻原秀郎垂頭喪氣，他沒有想到莫林會抓住了他最致命的弱點來攻擊他。夫人和女兒就是他的生命，甚至比生命還要重要。如果不是這樣，他是絕不會屈服的！

莫林再次端起酒杯來，對麻原秀郎說：『現在，我們來乾一杯怎麼樣？』

珠聯壁合，假做眞時眞亦假；

蒼茫人海，相見時難別亦難——

第八章：血祭

在降服了麻原秀郎之後，莫林和娜達莎並沒有急於回克拉蘇山莊。他們乘車南下，遊覽了東京、京都、神戶和大阪等地。在京都蘭山的寺廟裡，莫林還興趣盎然地算了一卦。卦上說他雖有帝王之氣運，但脈地乾枯，無水滋潤，能否成就，還得靠天意。莫林給了那和尙一份厚重的謝禮，然後笑著離開。娜達莎問他覺得算得怎樣，莫林道：一派胡言亂語，何必在意！

滑稽的是，這一路都是由麻原秀郎親自陪同的。他就彷彿是莫林最親愛的朋友。既然太太和女兒已做了人質，他不想太冒險。

莫林和娜達莎輕鬆地遊玩到八月初，才回到克拉蘇山莊。那時候，那兩顆衛星已經運抵目的地。莫林和娜達莎請麻原夫人和靜枝小姐吃了一頓野味『燒烤』，然後送她們母女登機，返回北海道。臨走，莫林和娜達莎還送了兩串用克留赤夫火山噴出的天然鑽石鑲嵌的項鍊作爲禮物給麻原母女。她們沒有拒絕。她們早已被驚嚇得魂不附體了。

兩個小時後，在她們母女平安返回北海道的時候，莫林接到了麻原秀郎的一份傳眞，上面祇有一句話：假如還有再見面的機會，我會把你的腦袋割下來當足球踢！

莫林輕蔑地一笑，不予理睬。

『沒有想到，麻原秀郎還是個足球迷！』烏蘭諾娃也譏諷道。

『他以爲他是最好的射手，其實並非如此。他太驕狂了，不能知己知彼，注定是要失敗。』

聰明反被聰明誤。莫林在輕蔑麻原秀郎的同時，也暴露了他的心態。自從得到波波娜的提醒之後，烏蘭諾娃終於說服了自己——魅力對於莫林來說，並不起作用！想透了這一點，她當即意識到莫林潛在的危險。他不僅是個執著得有些偏執的男人，而且，頭腦冷靜，善於擊中對手的致命弱點。這讓烏蘭諾娃開始反思她自己對於莫林的遷就。是的，莫林之所以敢於同她進行某種對抗，也正是由於他抓住了她的弱點——不管如何，她現在還不能對他下手。這是一張最重要的底牌。這張底牌現在被莫林掌握在手中。莫林利用這張底牌，可以進行好多種玩法。

『莫，這一次你表現得非常出色，我要好好獎賞你，』烏蘭諾娃有意識地麻痺著莫林道：『我要讓你出任我的助理，希望你不要拒絕。』

『謝謝——但願妳別因此而感到後悔。』莫林一語雙關地道。

『不會的，我相信自己的眼睛。』烏蘭諾娃微笑著看著他，繼續道：『但有一點我沒有明白，這一次是你最好的出逃機會，你卻給錯過了。』

莫林淡然一笑：『如果這是別人的猜測，我並不奇怪，但如果是妳的想法，我倒是有些奇怪了——我爲什麼要出逃？』

『你曾經不是出逃過三個多月嗎？』

莫林愣了愣，沉吟著道：『那是在冬天，而冬天早已過去了……烏蘭諾娃小姐，現在對於我來說，眞正品味到了「世界雖大，卻無立錐之地」的感覺。我離開克拉蘇山莊，又能到哪裡去呢？』

莫林說得有幾分動情。他越是這樣，烏蘭諾娃越是能體察出他那激盪不安被仇恨燃燒了的心境。這是他的掩飾，或者說是他的虛僞與僞裝，撩開這層面紗，烏蘭諾娃就不難捕捉到他的眞實心理。烏蘭諾娃自然沒有必要馬上來揭穿。她祇是異常友善很似乎充滿了柔情地對莫林微笑著，彷彿十分欣賞與欣慰。

但是，差不多就是在那個時候，烏蘭諾娃下了最後的決心：祇要時機成熟，必須除掉這個男人！

面對著烏蘭諾娃柔情的微笑，莫林的眼前卻幻化出那場殘酷的大火。火勢兇猛。猩紅慘烈。屋脊的倒塌和卓婭的慘叫聲混合在一起。那是在西蒙琴科小鎭，是黃昏。緊接著黑水潭上那一聲劇烈的爆炸聲也迴盪起來。冰塊飛裂著衝上了雲霄。在那一片慘烈的破碎中，夾雜著一塊天藍色的羽絨服的碎片。那也是黃昏。在黃昏裡，他曾經愛過的兩個女人，消失了。而她們相繼死在了眼前這個女人手裡。一個如此心狠手辣的女人，現在在向他微笑。他十分清楚地知道，這微笑中潛伏著殺機。他想，如果沒有那九十八億美元的遺產等待繼承，莫林就是有十條命，也早已完蛋了。

他在等待時機。

而烏蘭諾娃也在等待時機……

娜達莎發現懷孕那天，非常激動。她馬上把這個消息告訴了烏蘭諾娃。烏蘭諾娃當時呆愣了一下，分明是想起了自己懷孕時的喜悅。可遺憾的是那個喜悅並沒有維持下來，幾乎是轉瞬之間就變成了一場悲劇。娜達莎臉上蕩起了少婦才能有的將要做母親的羞怯和紅潤，烏蘭諾娃見了，下意識地充滿了嫉妒。她看著娜達莎，幾乎是冷冰冰地道：恭喜妳，娜達莎。

娜達莎隨即一愣，問：『姐姐，難道妳不高興？』

『怎麼會？』烏蘭諾娃平靜了一下心緒，道：『讓妳和莫結婚，不就是想延續西蒙琴科家族的血脈嗎？這一直是我的等待，娜達莎。我非常高興這個等待終於有了結果……』

烏蘭諾娃在冷靜了之後，便漸漸有些興奮。她說得不錯，這眞的是她的等待。對莫林的種種遷就和忍讓，終於可以解脫了！

她的時機首先等來了！

莫林當時不在克拉蘇山莊。他代表烏蘭諾娃去海參崴進行一場商務談判。他還不知道娜達莎已經懷孕。

『莫要是知道這個消息一定會高興的。』娜達莎說：『姐姐，給莫發一份傳眞告訴他好嗎？』

烏蘭諾娃搖搖頭，道：『這倒不必——莫明天就回來了，給他一個意外的驚喜不是更好嗎？』

娜達莎想了想，同意了。

那天晚上，娜達莎執意要住在烏蘭諾娃的房間。她好像要烏蘭諾娃分享她的喜悅，可是，烏蘭諾娃卻備受折磨。夜半時分，娜達莎睡著了。她睡得很香甜，嘴角一直流露出愉悅的笑意。可烏蘭諾娃卻怎麼也無法入眠。她索性起身，來到了客廳，站立在落地窗戶前，向遠處遙望。月夜下，起伏蜿蜒的山巒，彷彿在飄忽不定，一片深邃、朦朧，似乎蕩漾起了某種虛幻。她想，莫如果知道了娜達莎懷孕了會怎麼樣？這意味著莫將要失去了那張最重要的底牌了。莫會不會因此而感到某種危機？

莫林是轉天下午回到克拉蘇山莊的。娜達莎迫不及待地告訴莫林：『莫——莫！我們要有孩子了！』

莫林初聽這消息時，一愣。旋即他便把娜達莎輕輕拉進了懷裡，吻了一吻。那個吻很漫長，因爲莫林非常淸楚地意識到這將意味著什麼。這個嬌小美麗的女人，雖然並不是他所鍾愛，但現在卻懷上了他的孩子了。這本來是個該興奮激動的事情，但莫林的心緒卻恰恰相反。他彷彿失去了一種支撐，隨時都會被粉碎得坍塌。他自然知道這危險來自何方。

『妳姐姐烏蘭諾娃知道嗎？』

『我已經告訴她了，姐姐非常高興……』

『當然，她最有理由高興了。』莫林說。

莫林無法排遣莫名的孤寂感。他十分空落。娜達莎依偎進他的懷裡，攬緊了他。這本來是一種眞實的融合，可莫林卻感到一種虛幻。他簡直無法證實懷裡的娜達莎是否也是一種根本不存在的虛幻。他輕輕地撫摸著她的頭髮，那種細膩潤滑的感覺已經不存在了，有的祇是惶惑和不安。

這樣的時刻究竟還能維持多久呢？

這時候，門忽然被推開。烏蘭諾娃走了進來。她的身後跟隨著一些穿白色衣服的醫護人員。他們的目光紛紛聚攏在娜達莎的身上。娜達莎不由得感到驚異。

『姐姐……妳這是……』

『娜達莎，我以最快的速度爲妳組建了一個特護小組，他們都是些非常可靠的婦產科專家。他們將晝夜護理妳。』

娜達莎想都沒有想，便拒絕道：『不，姐姐，有莫跟我在一起就可以了，我不需要別人！』

『莫不能再跟妳同房了，娜達莎，妳不能再冒險了！』

娜達莎驚呆了：『不——不，姐姐，不！我需要跟莫在一起！』

烏蘭諾娃微笑著看著莫林。莫林讀懂了她的微笑。她在等待他來選擇，或者說她在等待他的服從。任何執拗都將是白費心計。莫林沒有廢話，他轉身向外走去。那些被稱之爲『婦產科』專家的男男女女都有些好奇地打量著他。他們自然不清楚其中的隱秘。對於他們來說，烏蘭諾娃姐妹和西蒙琴科大公爵家族一樣的神秘莫測。

娜達莎用一種近乎於絕望的聲音喊著莫林：『莫——莫……』

莫林回轉頭來，看著娜達莎。娜達莎被阻隔在醫護人員的中間。她顯得十分憂傷。她用一種哀求的目光看著莫林。莫林怦然心動。她那種無望無助的目光，讓他從心裡更加仇恨起烏蘭諾娃來。

他知道她等待的時機已經悄然來到了。

他在爲自己而悲傷，更爲娜達莎而悲傷。

在夜暮降臨的時候，莫林孤獨地走近了那座小教堂。小教堂的風鈴聲依然在飄蕩。黑暗中的柵欄，猶如緊密排列的士兵，連成一圈，護衛著小教堂。莫林眞的體會到了一種欲哭無淚的感覺。

他沒有注意到這時候烏蘭諾娃已來到他的身後。烏蘭諾娃沉靜默然地站在離他能有五六步的地方打量著他，似乎在猜測著什麼。莫林那個時候完全沉浸在風鈴那飄搖不定的聲響中。

當他回頭發現了烏蘭諾娃時，有些愕然。烏蘭諾娃的舉動出乎他的意料。這個地方不該屬於她，尤其是在這樣的時刻。

『我沒有想到妳會來這兒，』莫林說：『娜達莎這個時候需要有人在陪著她，既然不允許我，那就應該是妳。』

『這沒有什麼意義，莫，我請來的都是些最好的醫護專家，有他們陪著娜達莎，我們能做什麼？』

『他們能給予娜達莎祇是醫療護理，卻無法給予溫暖和親情，而娜達莎在這個時候最需要的就是親人對她的關懷！這妳應該比我更懂得！』

『娜達莎還不至於如此的脆弱吧？用不了幾天她就會習慣的。』

一個女人對自己的妹妹都能如此的冷酷，莫林眞無法想像她還要怎樣的無情！

『莫，你的心情不太愉快，是吧？這可不應該！連我也在爲你和娜達莎高興。恭喜你，就要做父親了。』

『謝謝——不過，我想反過來也許更合適，我應該恭喜妳，烏蘭諾娃，妳的願望終於要實現了。』

烏蘭諾娃不置可否地笑了笑，也許莫林過於鋒芒畢露了。烏蘭諾娃覺得沒有必要再同他爭辯什麼。現在的莫林已經不再是從前的莫林了。烏蘭諾娃忽然對他失去了往日的興趣，連氣惱或者忿恨都沒有。

『莫，我知道你心裡在想什麼，有一點我非常欣賞，就是我們彼此之間有許多話不用說，也能互相猜測得到。但有時候你過於偏激了，莫。我其實非常需要你的幫助，你知道嗎？』

『很榮幸。』莫林冷冷地道。

『也許你還不肯相信，但我確實需要你的幫助——明天我就需要你代表我去進行一項重要的考察，是去擇捉島。我想你不會推辭吧？』

莫林一愣。不由得一股寒氣襲來。他渾身顫慄了一下，下意識地預感到了某種危險。

『我讓波波娜陪你去——西歐的幾家大公司要合資在擇捉島興建一個大型的修船廠，如果可能，我們也要進行投資。』

這肯定是個圈套！莫林暗想。

擇捉島的深秋一片蕭瑟。

風從海面上掃蕩而來，捲起了鹹澀的水霧。一隻小舢板飄蕩在海面上，駕船的不是別人，正是神秘的黑熊老喬！

黑熊老喬起了一網，網上的魚雖然並不多，可卻沒有讓他失望。因爲有三隻大螃蟹被網了上來。有這三隻大螃蟹就算沒有白忙活這一天。卓婭最願意吃螃蟹了。她說她吃完之後奶水也足，孩子也能吃得飽飽的。

黑熊老喬看看天色，快要起風了。他收起鐵錨，發動開小馬達，駕著那隻破舊的小漁船向岸邊疾馳。

卓婭抱著孩子等候在岸邊。

破舊的小漁船剛靠岸，黑熊老喬便將鐵錨丟了上來。黑熊老喬說：『要起風了，妳還帶著孩子到這兒來，不怕讓風吹壞了孩子？』

卓婭說：『要起風了，見你還沒有回來，急著就趕來看看。』

黑熊老喬將那三隻大螃蟹提起來，說：『回去清蒸著給妳吃。』

卓婭跟在黑熊老喬的身後往碼頭上走去。風很硬，颳在臉上，有些生疼。孩子哭將起來。黑熊老喬心疼似的將漁兜兒交給卓婭，他將孩子接了過去，一邊走著一邊搖晃地哄著。

在西蒙琴科小鎮那場慘烈的大火中，卓婭沒有被燒死，是因爲得到了黑熊老喬的相救。黑熊老喬自從離開馬亞契科上校之後，便一直跟隨著卓婭和莫林，在暗中保護著他們。他知道他們遲早要遇到危險。他們根本就不是烏蘭諾娃的對手。所以，在那場大火剛剛冒出滾滾黑煙的時候，黑熊老喬從後窗戶跳了進去，將已經被嗆得昏迷的卓婭背了出來。他帶著她迅急地逃亡到了這擇捉島。

擇捉島是日本『北方四島』中最大的一個島嶼。第二次世界大戰時，山本五十六將軍率領的襲擊珍珠港美軍基地的混合艦隊，就是從這裡啓航的。戰後，擇捉島被前蘇聯佔領了，一直沒有歸還。日本人每年都要組織多種形式，向前蘇聯和現在的俄羅斯政府進行討還，『歸還北方四島』的呼聲一直未斷。在這樣的背景下，俄羅斯人自然無法用心來經營這四個島嶼，因此，這四個島嶼至今仍還保留著那種質樸無華的自然風格。民風也較爲淳樸。這也是黑熊老喬帶卓婭躲避到這裡的原因。

他們住在一個小漁村裡。臨海的三間低矮的小木屋，作爲棲身之地。他們剛來這裡的時候，村裡的人還以爲來的是一對老夫少妻，但不久他們就知道並不是這樣。來的竟然是一對父女。那父親對女兒關懷備至。女兒生產的時候，父親請來了村裡唯一的一位醫生給接生。對於小漁村裡的人來說，這一對父女簡直就是一個無法破開的謎。他們差不多是在悄然默默地生活著，既不打擾別人，也不太與別人來往。

當然，他們無法眞正得知他們心中的苦楚。

三隻大螃蟹很快就被蒸熟了。黑熊老喬先不吃，坐在一旁抱著孩子。卓婭吃完一隻，看著他。他說：『怎麼不吃了？都吃了吧……』

『老喬……』卓婭看著黑熊老喬，實在不知道該謝什麼。想了想，她問：『你這一生後悔過嗎？』

黑熊老喬愣了一下：『後悔？……後悔什麼？』

『愛上我母親……我知道，她眞正帶給你的並不是幸福。除了隱姓埋名地活著，再就是這麼多年一直在照顧我……有時候我就想，如果沒有我母親和我，你也許會有另外的生活

——肯定比這要好得多的生活!』

黑熊老喬撇撇嘴,好像很不屑:『什麼生活能比得上妳母親對我的愛還重要?卓婭,雖然我和妳母親在一起還不到一年,而且那時候她還帶著妳,可是,妳母親是眞的愛我……這我能感覺得到!有了她的愛,我還後悔什麼?該有的我都有了……』

『可是,畢竟這麼多年……』

『這麼多年我活得很好,卓婭,妳應該最懂得當一個人在苦苦思念另一個人的時候,心裡一點兒也不空落,就像妳現在在想念著莫一樣。』

一提起莫林,卓婭猛然間啞然了。她看著孩子,孩子的下巴和眼睛像極了莫林!這讓她腦海時時在浮現著莫林的身影。

『不知道莫現在怎麼樣了……』卓婭揪心地嘟囔著。

『這妳放心,』黑熊老喬勸慰道:『看在那九十八億美元遺產的份上,烏蘭諾娃不會太難爲莫的。』

『他一定不知道我還活著,更不知道孩子已經生下來了……』卓婭有些傷感:『如果能有機會告訴他，那該多好！』

黑熊老喬看著她，慢慢道：『現在這季節不好……卓婭，等冬天大雪封門的時候，我去一趟克拉蘇山莊，想辦法把莫帶出來，還給妳！他是妳的丈夫，不該讓別人霸佔著！』

卓婭將孩子接過來，一邊奶著一邊抽泣：『老喬……要是眞能這樣，就好了……』

黑熊老喬道：『放心，我會把莫還給妳的！』

那天晚上，卓婭失眠了。她想像不出現在莫在幹什麼，又是跟誰生活在一起。會不會還是那個娜達莎？天快亮的時候，她迷迷糊糊睡著了。朦朧中，她看見了莫——莫挽著娜達莎的胳膊向一片耀眼的光環中走去。卓婭心如刀絞，抱著孩子拚命追喊，可是，莫卻聽不見，也不回頭。他和娜達莎依偎在一起，最終消失在那一片耀眼的光環中……醒來的時候，卓婭發現淚水已經浸透了枕巾。她無法解釋這個夢境。她有些惶惑。她想，這會不會又是一種暗示？就像她以前那些怪誕的夢境一樣？

可這一次，又該應驗什麼呢？

起床後，她送走了出海的黑熊老喬，便抱著孩子來到了碼頭。那是一座簡陋的小碼頭。

孩子有些低燒，卓婭抱著他去看醫生。醫生在碼頭上開了一間小診所。

碼頭上人來人往。趕早市的、賣舊物的、裝卸貨物的，還有外來的觀光客，擁擠在狹窄的棧橋上，熙熙攘攘。卓婭抱著孩子，躲躲閃閃，生怕擠壞了他。

忽然，人群騷動起來。一大批保安人員將人們驅趕著在一邊。卓婭抱著孩子，險些被撞倒。人群議論著，說是有重要的大人物要來這裡視察。這裡馬上要修建一個大型的修船廠。

稍頃，十幾輛汽車魚貫駛來，一大群人簇擁著走上碼頭，察看。

卓婭正要離開，忽然，她呆愣了，被人們簇擁的人分明就是她朝思暮想的莫！莫沉穩地走向棧橋的盡頭，站在那裡，遙望著海面。海面上，湧動著排排巨浪。海鷗在翻飛翺翔著。

卓婭的眼睛一下子濕潤了。她好像感到很委屈。莫……莫！我在這裡！卓婭拚命往前擠去。可是，人太多了，孩子哭叫起來。卓婭顧不上哄他，又向前邊擠去。

幾位當地的官員在向莫林和波波娜介紹著這裡的情況。他們似乎非常希望烏蘭諾娃小姐能夠投資。但莫林此時的思緒卻飛向了遙遠的地方。站立在這般遼濶的大海邊，心胸也彷彿被拓展開了。

莫林聽著他們的介紹，沉靜地點點頭，然後出其不意地問：『這裡離中國多遠？』

『對岸就是日本。』當地的官員說。

『我問的是中國！』

『哦……』當地官員一派愕然。

『不是對岸就是日本，而是這裡就是日本！』莫林糾正道：『我記得日本一直在爭取歸還北方四島，現在在這裡修建船廠，實在是風險太大。』

當地官員失望地看著莫林。

莫林扭頭走向汽車。

卓婭還在人群中拚命地向前擁擠著。她見莫林要鑽進汽車，焦急地放聲大喊：『莫——莫！我在這裡！』

人群實在太嘈雜了，莫林根本聽不見。莫林臨上汽車的時候，漫不經心地向卓婭這邊掃視了一眼。卓婭驚喜地揮動起手臂來，彷彿旗幟似的在搖晃著。可惜，莫林沒有看到。汽車魚貫而去。卓婭忍受不住，蹲在那裡哭泣開了。她哭泣得非常、非常傷心……

傍晚，黑熊老喬出海回來，卓婭告訴了他。黑熊老喬當即安慰道：『別著急，卓婭，這是天賜良機——莫既然來這裡考察，決不會今天就走了，他一定住在城裡！我現在就去找他，把他搶來還給妳！』

『我也去！』卓婭道。

黑熊老喬想了想，搖頭道：『那太危險了，卓婭，妳還帶著孩子！不能讓孩子也跟著妳冒險！』

『我就是想讓莫看看孩子！』卓婭已經淚流滿面了。

『等我把他搶來，他不僅可以看看孩子，而且你們再也用不著分開了——離這兒不遠，有一座荒島，你們可以到那裏躲避幾年。烏蘭諾娃就是再有本領，也不會找到那裡去的！』

卓婭無語。她非常感激黑熊老喬。如果眞能這樣，幾年過去後，肯定就有機會逃離遠東，跟莫返回中國去！

可卓婭沒有想到的是，黑熊老喬這一去，竟然再也沒能回來……

波波娜雖然名義上祇是莫林的助手，但實際上卻在暗中操縱著一切，包括莫林的日程安排。從碼頭上返回之後，莫林執意要飛回克拉蘇山莊，但波波娜婉言拒絕了。她說現在已經調不來飛機了，沒有辦法離開。莫林說，那就坐船！波波娜卻推諉天色已晚，這兒又接近日本北海道，坐船不安全！莫林不禁惱火地質問：在這裡究竟是我說了算還是妳？波波娜詭秘地一笑，道：『當然是你！但具體的日程則由我負責——這是烏蘭諾娃小姐臨行前的安排。』

臨行前，烏蘭諾娃確實和波波娜進行過精心的『安排』。她們兩個人在書房裡密談了將近三個小時。包括具體的地點、步驟以及細節。她們不想在克拉蘇山莊裡解決莫林。因爲莫林現在的身分畢竟有些特殊，不能爲以後留下污點。而且，也不能過於刺激娜達莎。她們要借助外來的力量，來達到目的。所以她們選擇了擇捉島。

波波娜看看錶，提醒似的說：『請你準備一下，半個小時後你還要代表烏蘭諾娃小姐前去參加遊樂場的剪綵儀式。』

『我不去！』莫林說：『對這個地方我非常反感，妳去就行了！』

『這不可以——現在，你是烏蘭諾娃小姐的代表，而我祇是你的助手！』

莫林不屑地哼了哼，懶得再同波波娜爭辯什麼。

他鬱悶地和波波娜等人驅車來到遊樂場，那裡已經是人山人海，彩旗招展了。遊樂場是在擇捉島中部修建的，依靠了一座陡峻的山巒。主辦者非常殷勤地將莫林等人引到了主席臺上就坐。一些俄羅斯人和日本後裔在歡歌起舞。莫林極力忍耐著，才沒將厭煩流露出來。

他百無聊賴地掃視著四周，忽然一愣：在萬頭鑽動之中，他分明發現了一雙熟悉而又奇特的眼睛。可那雙眼睛祇是一閃，便倏忽間不見了。他在心裡暗暗叫道：黑熊老喬！

怎麼會是他？他又怎麼會到這裡來？

莫林急忙再去尋視，卻再也找不見那雙眼睛了！——難道是看錯了嗎？

眼前是一隊裝扮成卡通『米奇』和卡通『唐老鴨』形象的『卡通』人。他們步履笨拙，搖搖擺擺地走到主席臺前向貴賓獻花。有一個高大的『米奇』把一束鮮花獻給莫林。隔著一張桌子，莫林接過鮮花，剛要道謝，忽然，他驚呆了。『米奇』的手中亮出了手槍。說時遲那時快，祇見從主席臺後面凌空而起一條人影，彷彿是一隻雄鷹一般撲向了『米奇』，『米奇』手中的槍響了，莫林感覺到肩頭一震，搖晃了一下。他清楚地知道中彈了。人群大亂。此時，那條人影已經將『米奇』撲倒在地，兩人滾翻在一起。隨著兩聲沉悶的槍響，兩人幾乎是同時疼痛的分開、扭動起來。莫林忍著劇烈的傷痛，翻過桌子撲將過去，一把抱住了那個救他的人——不是別人，正是黑熊老喬。

黑熊老喬的胸口浸紅了血跡。他奄奄一息，張張嘴，費力地對莫林道：『卓娅……卓娅她……』

黑熊老喬將頭一歪，死在了莫林的懷裡。

莫林也疼痛不已。他的眼前一陣昏黑，也栽倒了……

兩個小時後，莫林在醫院裡甦醒過來。波波娜告訴他，已經查明，那個兇手是『山口組』的成員。波波娜說：『看來麻原秀郎仍沒有忘記你對他的羞辱！』

莫林看著波波娜，無語。兇手是誰並不重要，但重要的是誰是幕後指揮者。莫林絕不相信僅僅是麻原秀郎出於報復來安排這場謀殺的。即便那個兇手眞的是他的人，那麼肯定也與波波娜有關，與烏蘭諾娃有關，不然，爲什麼麻原秀郎會知道他到達這裡？烏蘭諾娃又爲什麼要安排他來這裡？難道這僅僅是一個巧合？不是，他們之間雖然有爭鬥、有內訌。但祇要利益一致，馬上又會狼狽爲奸！

烏蘭諾娃搶先動手了！

這更加激怒了莫林！如果不是黑熊老喬，那莫林必死無疑！黑熊老喬怎麼會出現在這裡？他最後留下的那句話是什麼意思？卓婭……卓婭她……。莫林想他沒有聽錯。黑熊老喬確實提到了卓婭！卓婭……忽然，莫林一陣激動：難道卓婭並沒有死？還活著？

不……這絕不可能！

莫林冷靜地否定了這個閃念。因爲他親眼看見那條狂舞的火龍吞噬掉整座小酒店的，卓婭就是插翅也難逃那樣的劫難！

也許，黑熊老喬是在提醒他別忘記爲卓婭報仇？如果是這樣，莫林暗想——黑熊老喬，我不會讓你失望的！等著瞧吧！

男人的一半是女人，這是一種天然的平衡組合
然而，當兩個女人同時出現，那又該怎麼辦？——

第九章：殘局

卓婭是在一週之後，才得知黑熊老喬遭遇到了不幸。

那些天，她在焦慮中熬盼著，滿心期待黑熊老喬能把莫林帶來。黑熊老喬是個善於創造奇蹟的人，她的等待不應該落空。每天，她都要等候在小漁村的村口，向土路的盡頭遙望。土路上塵土飛揚，載貨的機車穿梭往來。卓婭在不斷的失望中越來越感到不安。後來，她終於無法再等待下去。索性抱著孩子去了城裡。

到了城裡，她便聽到了有關黑熊老喬爲救莫林而死的消息。

她不肯相信這是眞的——黑熊老喬怎麼會死？怎麼會呢？

她馬上趕到警察局去認證。警察帶她去見了黑熊老喬。黑熊老喬因無人認領，屍體仍被保存在警察局的停屍房。當卓婭確認面前這個已被凍成冰鉈一般的人果眞就是黑熊老喬時，眼前一陣昏黑，暈了過去。

兩天後，她把黑熊老喬接出了警察局，在遊樂場背後那座陡峻的山巒中，找到一棵兩枝樹幹交扭在一起的粗大的松樹，把黑熊老喬安葬在松樹下。沒有墓碑。沒有墳頭。因爲她知道黑熊老喬不喜歡那些東西。卓婭祇在粗壯龜裂的樹幹上鏤刻下這樣一行字：我的父親終生磨難，現在安歇了，請別再打擾他。

鏤刻完最後一個字母，卓婭十分疲羸。她癱坐在樹下，默然地遙望著起伏的山巒。她很後悔在黑熊老喬活著的時候，沒有叫他一聲父親。雖然這麼多年，她在心裡一直是把黑熊老喬當作父親看待的，但却從沒有叫過他！哦，老喬，我的父親……你是否爲此也曾傷心過？

孩子在她的身旁饑餓地哭將起來。哭聲撞擊著山谷傳得很遠。她把孩子抱了過來。她解開了衣襟。孩子焦渴地吸吮著奶水。慢慢，卓婭的淚水流淌下來，一滴一滴地滴落在孩子的臉上。她輕輕給擦拭掉了。黑熊老喬這一死，這個世界上就祇剩下莫林一個親人了，可他竟然還被別人霸佔著！

當卓婭奶飽了孩子，抱著他站起來的時候，她對孩子說：媽媽現在就帶你找爸爸去！

莫林和波波娜等人回到克拉蘇山莊時，得到了烏蘭諾娃的迎接。她十分關切地詢問莫林的傷勢，並且發誓要給麻原秀郎一點顏色看看。莫林道謝後，暗自冷笑：她又在表演了，不過這一次却露出了痕跡，有些拙劣了！

在莫林受傷的那些日子裡，娜達莎根本不顧烏蘭諾娃的阻攔，執拗地守候在他的身邊。隨著肚子的隆起、挺大，娜達莎越來越像一個賢慧的太太，因爲她不僅從肉體也從心靈上領悟到莫林對她生命的意義。現在，即便莫林不是西蒙琴科大公爵的後裔，不是九十八億美元遺產的繼承者，娜達莎也會如此這般對待莫林的。這令莫林心生感動。其實，莫林的傷口癒合得很快，並不太嚴重。可讓莫林眞正受到創傷的則是心靈——先是李韵，後是卓婭，現在又該輪到他了！

剛過十月不久，還沒有眞正的冬季，遠東地區便下了一場罕見的大雪。雪花翻飛著覆蓋盡蒼鬱的原始森林和茫茫的遠東平原、丘陵。泥土還沒有來得及上凍，可大雪卻迫不及待地將它們掩埋在下面。太陽終日陰鬱著，鬱鬱寡歡的樣子。

莫林和娜達莎隨著烏蘭諾娃等人飛到了堪察加半島的『火山遊獵場』度假。他是和娜達莎坐在同一架飛機上的。他不能再給烏蘭諾娃留下任何可乘之機。他現在需用娜達莎來充當保護傘。

一棟棟木克楞的屋頂，盛接著積雪。隨著大雪的隆臨，寒冷和冰封很快掃蕩了遠東。冰凌花吊掛在枝椏上，隨風飄搖，猶如一串串精靈在舞蹈。

到達的第二天，烏蘭諾娃便邀請遠東的一些頭面人物舉行了一場別開生面的『野餐』和『假面舞會』。受到邀請的人，興高采烈地蜂擁而至。這個充滿誘惑的『遊獵場』，一時間成爲達官顯貴的聚集地。烏蘭諾娃通過這種方式，不僅籠絡了人心，也籠絡了財富。

可在人聲嘈雜中，莫林却感到莫名的惶惑。他知道，這個紛亂喧囂的世界，並不屬於他。很難說烏蘭諾娃不會利用這個雜亂的機會，再次對他下手。與其坐以待斃，還不如主動出擊！

那天黃昏時刻，莫林來到了黑水潭。黑水潭已經被冰封了。冰面平展得猶如一面鏡子，很燦爛地反射著暮色的輝煌。莫林在上面走來走去，好像要去捕捉李韵那驚懼的哭喊聲。有幾次，他險些滑倒，趔趔趄趄地搖晃著挺住。恍惚中，莫林彷彿又看見了在那一聲慘烈的爆炸聲過後騰起的碎冰塊和天藍色的羽絨服碎片。那是李韵做爲一個女人最後的殘留。她沒有再剩下別的了。

這時，從樹林那邊遲疑著走來一個女人。是波波娜。是莫林約波波娜到這裡來的。現在，莫林準備好好利用波波娜這張底牌。莫林下決心要與烏蘭諾娃進行一場生命與生命的較量。雖然這差不多是在賭博，而且他贏的可能性極小，但莫林仍想搏擊一次！

波波娜仍舊是那樣充滿詭秘地微笑著。莫林知道這不過是她的一種僞裝而已。就像變色龍一樣，她用微笑做爲自己的保護色，以整日陪伴烏蘭諾娃。女人其實比男人更會保護自己，或許這是因爲她們的天性。不管怎麼樣，莫林這一次要征服波波娜了。這可能是他最後的選擇機會，莫林不能錯過去。

『我聽到了一陣哭泣聲，』莫林指著水潭，對波波娜說：『是一種被欺騙和被逼迫的哭泣聲，波波娜小姐，難道妳沒有聽見嗎？』

波波娜先是一愣，而後看著莫林，既沒有點頭，也沒有搖頭。她極力掩飾著內心的忐忑不安。她已經預感到莫林約她到這裡來凶多吉少。果然，莫林這一開口，便甩出了誘餌。

『關於我太太李韵和安德烈的內幕，我想，除了烏蘭諾娃小姐，再就是妳最淸楚了。安德烈是被烏蘭諾娃欺騙，而李韵又是被逼無奈，所有的這一切，都是爲了誘惑我上當的，是嗎？』

波波娜仍然不語。

莫林淡然一笑，又說：『波波娜小姐，在擇捉島的那場暗殺中，兇手肯定認識妳，或者說是妳奉烏蘭諾娃小姐之命安排的，這沒錯吧？』

波波娜瞪大了眼睛，轉瞬便冷冷地道：『莫林先生，我對你這種奇怪的想法感到非常吃驚——這怎麼可能？』

『爲什麼不可能？烏蘭諾娃小姐和妳，不管從哪方面說，都不能算上是善良的女人——這妳無法否認吧？』

『也許是吧，莫林先生。但這不是我們的錯，生活中太善良了，容易受到傷害，弱肉強食是自然界的一條生存法則——這法則千百年來並沒有被改變。』

『所以妳們就要幹掉我？』

『我說了，對你這種奇怪的想法我感到吃驚——拋開你那獨特高貴的身世不談，你現在是娜達莎的丈夫，而娜達莎又是烏蘭諾娃小姐最疼愛的妹妹。我想，烏蘭諾娃小姐無論怎樣，都不會願意看到娜達莎成爲一個寡婦吧？尤其是在她懷孕的時候……。』

『這個解釋祇是出於平常之心，但妳比我更淸楚，烏蘭諾娃小姐是個並不尋常的女人。娜達莎懷孕了，她要生下來的是西蒙琴科大公爵的後裔，這就意味著我已經失去了生存的價值。如果不是妳們的安排，那殺手爲什麼單單朝我下手？』

『這個問題，你應該去問殺手。』

『可他已經和黑熊老喬死在一起了！』

『太遺憾了——這不是又多出了一個無法破解的謎嗎？』

波波娜聳聳肩道。她極力抑制著自己的情緒，保持平靜。儘管她知道這其實並沒有多大的意義，但總比默認或者露出什麼破綻要好。莫林是個極精明的男人，他會洞穿別人的心。

在他面前，稍有閃失，必將留下把柄來。好在這麼多年波波娜跟隨烏蘭諾娃，已經練就了說謊和欺詐的本領。那是用不著臉紅的一種謀生手段，如果把這種手段運用得極高明，反倒會取得別人更大的信賴，就像烏蘭諾娃小姐那樣。

波波娜的裝模作樣，令莫林啞然失笑。比起烏蘭諾娃來，顯然波波娜還不那麼老練。對付波波娜，莫林信心十足，否則，他也不會將她約到這裡來的。

『算啦，波波娜小姐，妳也用不著再裝模作樣了！在這個荒誕的世界上，很難找到一點點的眞誠，有的祇是互相利用和爾虞我詐。所以人人都學會了賭博——用生命來賭博！有的人賭輸了，就像馬亞契科上校那樣，一命嗚呼；而有的人賭贏了，就像烏蘭諾娃那樣，趾高氣揚。更可悲的是，有的人本來沒有進賭場，却被人用來做爲籌碼去下了賭注了，譬如，就像李韵、卓婭和安德烈！他們死得實在寃枉……噢，妳聽，他們在哭……眞的在哭！波波娜小姐，難道妳眞的聽不見他們哭泣的聲音嗎？』

莫林好像故意要折磨波波娜，將腦袋貼在冰面上，諦聽著。這讓波波娜感到惶恐。一陣壓抑的哭泣的聲音，似乎眞的從冰底隱約傳了出來。波波娜渾身一震，莫名地顫抖了一下。

『每一個屈死的靈魂，都應該有申訴的權利，否則，太不公平了！妳說是吧，波波娜小姐？』

波波娜沒有回答。她意識到不能再待下去了。莫林的每一句話都在刺激著她的心靈。她明白這是莫林的詭計。

『莫林先生，如果你沒有別的吩咐，我可以走了嗎？』

『不——等一等，波波娜小姐，我們的談話還要繼續下去。那邊正在舉行假面舞會，這是一個難得的機會。我們可以敞開心扉，好好談一談。妳可以設想一下，如果烏蘭諾娃出現某種意外——譬如說，她突然死亡了，那麼遠東這個龐大的帝國將由誰來控制？』

波波娜一愣。她似乎還從來沒有想過這個問題。

莫林狡黠地笑笑道：『我知道妳沒有想過，但現在應該想一想了。妳是個聰明人，妳應該知道怎麼做。』

波波娜說：『你讓我吃驚了，莫林先生……』

莫林搖頭道：『沒有，波波娜小姐，至少妳不應該感到吃驚。有一點毫無疑問，如果烏蘭諾娃出現意外，那麼她的遺產將由娜達莎繼承，而娜達莎根本就無法管理這個龐大的帝國，那麼，實際上接替烏蘭諾娃小姐的人無疑將是我！』

『我決不會背叛烏蘭諾娃小姐！』波波娜說得十分果決。

『這話聽起來讓我感動，可惜，妳已經背叛過了，親愛的波波娜小姐——』莫林慢慢從衣兜裡掏出那把金黃色的鑰匙，在波波娜面前晃了晃：『當妳向馬亞契科上校出賣烏蘭諾娃小姐的時候，妳也應該這樣想才對！』

波波娜大驚失色。莫林要同她『攤牌』了！她下意識地扭頭向後面望了望，似乎想逃，又似乎害怕被別人聽見。這個動作本身雖然沒有什麼實際意義，但却讓莫林捕捉到了她內心的惶恐和紊亂。莫林知道這就是波波娜的致命的弱點，擊中了這一點，那麼波波娜祇有『繳械投降』一條路可走了！

『不要以爲妳和烏蘭諾娃的關係無懈可擊，一旦她得知妳曾經出賣過她，而且，還是向馬亞契科上校出賣過她，那麼她會想起來海參崴那個殘酷的手術——當時，是妳把這個情報透露給馬亞契科上校的，對吧？烏蘭諾娃如果因此而把妳撕碎，我不會感到絲毫的吃驚。』

波波娜已經無法保持那種詭秘的微笑了。她惶恐得渾身哆嗦。她看著莫林，目光中透露出哀求的意味。莫林明白，她坍塌了！

莫林笑笑，安慰一般地道：『用不著慌張，波波娜小姐，我之所以這麼久沒有對烏蘭諾娃說，那就說明我並不想告訴她。況且，妳同我合作，對妳的未來將非常有利。這一點，我可以向妳保證。』

『你、你到底想幹什麼？』波波娜心虛地問。

莫林看著她，慢慢掏出一粒看起來非常新鮮的檸檬來。他玩耍似的將檸檬朝空中一拋，又給接住，然後道：『其實非常簡單，波波娜小姐，祇要妳把這粒檸檬切下半片，放在烏蘭諾娃每天的午茶裡，妳就可以輕而易舉地得到五百萬美金的獎賞。』

波波娜顫抖著手，接了過去。她自然知道這不是一粒尋常的檸檬。莫林是要烏蘭諾娃的性命同這粒檸檬一同結束……

在『火山遊獵場』的西北角，有一個飛碟射擊場。它的背後，是一大片茂密的森林，雖然算不上是『原始』的森林，但深邃得莫不可測。不時的可以從那裡奔跑出一些野兎、野猂和狍子，驚慌失措地奔騰而過。如果射擊者是個神射手，常常會得到意外的驚喜。

娜達莎腆著大肚子，跟隨在莫林的身旁。隨著腹中胎兒的成長發育，她現在越來越覺得無法離開莫林。莫林已經成爲她生命的支撐。祇要一離開莫林，她便感到莫名的惶惑，坐立不安，彷彿是汪洋中的一條無帆的小船，迷失了航向，找不到彼岸。她把所有的醫護人員全部隔離在射擊場的外邊。她不願意讓他們來打擾與莫林守候在一起的時光。她半開玩笑半認眞地對莫林說：我現在已經患上了典型的『孕婦』孤獨症了。

一只飛碟被放了出來，莫林舉槍射擊，一槍擊中了。飛碟碎裂開，旋轉著飛向了後面的森林中。一隻野兎子應聲跑了出來，在射擊場的邊緣倉皇而又不知所措地胡亂竄著。顯然牠是被驚出來的。莫林馬上舉槍向牠瞄準。可當他正要開槍的時候，忽然，手被娜達莎拉住了。他狐疑地看著娜達莎，娜達莎盯視著跌撞飛奔的野兎子，說：『別傷害牠，莫——說不定牠正懷著小兎子呢！』

莫林稍稍一愣，明白了娜達莎。他記得曾在一本書上見過，說女人懷孕的時候，最是多愁善感，看來眞是一點不錯。女人在孕育著生命的同時，也在孕育著生命的底蘊。

莫林放下了槍。那隻野兎子在射擊場的邊緣跌撞了一陣，終於醒悟過來，又飛竄進了森林裡。是了，那裡才是牠眞正的家園。

莫林的內心十分不平靜。他看看天色，已是中午。在中午的太陽照耀下，松林在風中簌簌作響。差不多到時候了。波波娜該動手了。他現在才意識到過於冒險，將一件與生命攸關的事情，維繫在一個女人的身上，而且又是波波娜那樣的女人，實在是鋌而走險。可是，事到如今，莫林沒有別的選擇！

娜達莎這時候疼痛似的輕喚了一聲。她手捂著腹部蹲下身來。莫林一驚，馬上扶住她問：

『怎麼了？是不是疼得厲害？用不用讓醫生過來看看？』

娜達莎輕搖搖頭，喘息了一陣，興奮地說：『莫，他在踢我了！眞的——他在踢我了！』

莫林聽了，却感到惆悵。他若有所思地看著娜達莎，暗自思忖，如果不是『他』在踢你，也許，我還不會被陷入了危險之中！難道果眞需要父親用生命作爲代價，『他』才能出生嗎？這樣的生命延續，是否太殘酷了些？

莫林又抬頭看看太陽。這個時候，烏蘭諾娃小姐該喝她的午茶了吧？但願波波娜在切放那粒新鮮的『檸檬』時候，手不要太顫抖了……

烏蘭諾娃小姐正在翻看著有關莫林身世的證明文件。隨著娜達莎產期的臨近，烏蘭諾娃越來越焦躁。她曾經爲西蒙琴科大公爵家族的那些神奇得近乎神聖的傳說醉迷過。而今，在目的即將達到的時候，卻生出了一種悵惘的感覺。她本來期望自己會離那個家族越來越近切，可事實上，却越來越遠。她本來期望自己會融入那個家族之中，可却天不遂人願，並且還爲此付出了女人最珍貴的代價。這一切，都讓她對莫林產生出一種厭惡、反感和忿恨。她有一種被愚弄的感覺。

波波娜進來，呈給她一份傳眞，是托馬斯律師事務所打來的，詢問有關尋找西蒙琴科大公爵後裔的進展情況。烏蘭諾娃看著那份傳眞，微微冷笑。這讓波波娜感到茫然。

『烏蘭諾娃小姐，該怎樣來答覆他們？』

烏蘭諾娃暗自計算了一下時間。娜達莎再有兩個月就要生產了，祇要孩子一出世，那麼這件事情就可以公開。

她對波波娜道：『告訴他們，預計耶誕節前就可以正式公佈。』

『那我就這樣回一份傳眞給他們——他們對此事的熱情，令人感動，已經連著發來五份傳眞了。』

烏蘭諾娃又是那樣冷笑著，道：『按照有關法律，他們可以得到遺產的百分之十到十二的費用，這就是說他們至少能得到十幾億的美金——如此大的誘惑，他們能不盡心盡力？波波娜，這是一個物欲橫流的世界，金錢和種種利益把人們連接在一起，因此，我們大可不必對他們感激什麼，祇是在進行一種交易而已。』

波波娜當然懂得這個道理。這些年跟隨烏蘭諾娃，生活不僅豐富多彩，而且，她還從烏蘭諾娃的身上領悟到許多人生的哲理與內涵。有時候，她眞的在心裡感激著烏蘭諾娃。如果沒有烏蘭諾娃，也許波波娜至今仍不過是一家小商店的售貨員罷了。

烏蘭諾娃看看錶，活動了幾下手腕，道：『波波娜，請給我來一杯紅茶好嗎？』

波波娜聽了一愣，神態便有些慌亂。她連忙掩飾般地揉著眼睛，擔心烏蘭諾娃會看破她的慌亂。還好，烏蘭諾娃並沒有來注意她神態的變化，低下頭又繼續翻看起來。波波娜急忙退出辦公室，來到了旁邊的小廚房裡。她將滾熱的開水沖進茶壺裡，然後斟出大半杯來。茶很紅，紅得都有些發暗。茶壺的旁邊擺著幾粒新鮮的檸檬。當然，莫林給她的那粒也擺在那裡。她遲疑著，無法來選擇究竟用哪一粒檸檬好。她想起莫林在黑水潭邊的目光，禁不住冷顫著。莫林既然把這粒檸檬交給了她，就意味著要同烏蘭諾娃決戰了。如果她把眞相告訴了烏蘭諾娃會怎樣？莫林肯定要反咬一口，並且還要用馬亞契科上校作爲『把柄』，如果那樣，烏蘭諾娃絕不會放過她的。與其那樣，就還不如『倒戈』了好……

猶豫半晌，在生存與死亡面前，波波娜還是選擇了前者。

她小心翼翼地切開莫林交給她的那粒檸檬，然後，用叉子叉起兩片，放進了紅茶裡。在那一瞬間，她的手有些顫抖。她閉了一下眼睛，才把檸檬片放了進去。檸檬片飄浮在茶水上，十分誘人。

波波娜端著茶杯走到了烏蘭諾娃的面前，遞給了她。烏蘭諾娃沒有抬頭，仍在翻看著莫林的身世資料。她端起茶杯，剛要喝，却忽然想起了什麼，問：『下午卡羅斯博士的來訪準備好了嗎?』

波波娜神情異常緊張。她站立在一旁，盯視著烏蘭諾娃手中的茶杯，祇哦了一聲，却沒有明確的回答。

烏蘭諾娃下意識地抬頭看著她，說:『卡羅斯博士是個很有趣味的男人，妳應該對他感興趣。他可沒少幫助我們。波波娜，想一想，當初我們剛開始創業的時候，是多麼的艱難，但我們還是闖過來了!』

波波娜仍愣然地在盯視著烏蘭諾娃手中的杯子。

烏蘭諾娃感到有些奇怪:『妳怎麼啦?是不是覺得很累?』

波波娜怯弱似的低下了頭。她的眼睛不敢同烏蘭諾娃對視了。

『如果妳想休假，可以給妳一個月的假期。出去找個情人吧，波波娜，好好放鬆放鬆……』

烏蘭諾娃十分關切地說。

烏蘭諾娃端起茶杯來。波波娜緊張得心都快要跳出來了。

烏蘭諾娃說:『在我們這裡，說實話，我最信任的就是妳。妳可不能病倒了，好好去休假吧，波波娜……』

烏蘭諾娃剛要喝，波波娜再也忍受不住了，猛然撲了過去，失聲驚叫道：『不——不！』

波波娜揮手將茶杯打飛了。烏蘭諾娃一驚。

『茶裡有毒……』

波波娜哭泣著跪在了烏蘭諾娃的面前，淚流滿面。她說：『是我放的，烏蘭諾娃小姐，可是，我不想毒死妳……』

烏蘭諾娃目光陰冷地盯視著波波娜……

飛碟一個個被擊中。娜達莎在射擊，莫林在教著她。莫林的心情越來越緊張。到現在仍還沒有得到波波娜或者烏蘭諾娃的任何消息，這使他感到不祥之兆。在這片森林的背後，他已經隱藏了一架小型的直升飛機，以防萬一。也許，現在是用上它的時候了。

『娜達莎，我們到林子後邊看看去好嗎？』

『是不是很遠？』娜達莎好像有些發怵地道：『莫……我感到很累了，明天再去好嗎？』

『明天我們可能要去別的地方——來，娜達莎，我扶著妳。』

莫林要把娜達莎帶走。畢竟娜達莎懷的是他的骨血。他不能把娜達莎和孩子留給烏蘭諾娃。即便不是出於那九十八億遺產的緣由，莫林也不能留下娜達莎。

娜達莎順從了。莫林攙扶著她向樹林走去。可他們剛走了幾步，却看見烏蘭諾娃帶著波波娜走進了飛碟射擊場。莫林猛然警覺起來。他下意識地用手指壓住了扳機。

沒有別人，祇有她們兩個！這讓莫林感到疑惑，保鏢呢？烏蘭諾娃怎麼連保鏢都沒有帶？察言觀色，烏蘭諾娃極是平靜，分明不像是來同他決戰的。

烏蘭諾娃走到他們近前，先是對娜達莎關切地埋怨道：『妳怎麼也來了？不是要妳好好休息嗎？』

娜達莎笑著道：『和莫在一起，就是最好的休息。』

烏蘭諾娃看著莫林，微笑著說：『莫總是這麼迷人。』

同往常似乎一樣，沒有反常的表現，這令莫林感到疑惑。他看著波波娜，想從波波娜的臉上讀到答案，可是波波娜却將臉扭向了一邊。

也許，今天波波娜沒有機會下手？等待明天？

如果是這樣，就用不著緊張，莫林想，沉住氣！

『怎麼樣？莫，你的槍法還是那麼好麼？我們倆比賽一場如何？』烏蘭諾娃對莫林問道。

烏蘭諾娃說著好像無意識地將手向莫林伸去。莫林猶豫了一下，但還是把槍遞給了烏蘭諾娃。

烏蘭諾娃熟練地壓進了一梭子十發子彈，然後對旁邊放飛碟的道：『放！』飛碟一個接一個飛了出去。

砰砰砰砰砰砰砰砰砰！

烏蘭諾娃勾動扳機，連著開了九槍。開始槍槍不落空。祇是最後一只飛碟沒有被擊中，劃著弧線，飛進了松林裡。

莫林感到一驚！

烏蘭諾娃轉頭問他：『怎麼樣？莫，比你差不了多少吧？』

莫林道：『還差一槍。』

烏蘭諾娃好像驚異似的：『哦？莫！你很細心！一點不錯，槍裡還剩下一顆子彈，我想你應該知道我要用它來幹什麼！』

烏蘭諾娃的語氣嚴厲起來。莫林這才意識到上當了！烏蘭諾娃輕鬆地繳了他的械。他再看波波娜，波波娜的目光同他剛一接觸，竟然害怕似的急忙躲閃開了！這個臭婊子一定是出賣了我！

烏蘭諾娃輕輕地抬起了槍口，對準了莫林：『親愛的莫——我本來不想親自動手，因爲畢竟我們在一張床上睡過，畢竟還愛過那麼一場，可是你卻逼迫我無法再選擇了……』

娜達莎剛開始根本不明白怎麼回事，還以爲烏蘭諾娃是在同莫林開玩笑，此時發現烏蘭諾娃眞的要開槍了，慌忙撲過來擋住了莫林的面前：『姐姐——妳不能這樣！』

烏蘭諾娃：『請躲開，娜達莎！』

娜達莎：『莫可是我的丈夫！』

烏蘭諾娃惱火地：『可妳的丈夫十幾分鐘前差點毒死了我！』

娜達莎不肯相信地：『這肯定又是妳的胡說！姐姐！莫今天一直同我待在一起——請妳

放下槍來！』娜達莎也端起了槍，對準了烏蘭諾娃。烏蘭諾娃一愣。

娜達莎厲聲說：『放下槍來，姐姐！』

烏蘭諾娃更加惱火地：『娜達莎，難道連妳也要背叛我嗎？』

娜達莎：『我不能沒有莫！姐姐，我不能失去我的丈夫！』

烏蘭諾娃氣憤地撲過來，猛抽了娜達莎一個耳光。娜達莎就勢與她廝打在一起。慌亂中，砰然一聲炸響，衆人呆愣了。再定睛細看，祇見烏蘭諾娃搖晃了一下，慢慢栽倒在娜達莎的面前。她的胸口忽地噴湧出一股殷紅的血。血噴濺在娜達莎的身上、臉上，染得血紅一片。

娜達莎猛然間驚呆了。她緊緊抱住烏蘭諾娃，放聲叫喊：『姐姐……姐姐，妳這怎麼啦？姐姐……』

她沒有想眞的打死她，但是……槍却響了！

兩個保鏢匆匆跑來，剛要動作，莫林順手操起槍逼住了他們。莫林厲聲道：『先生們，這對你們祇會更好，而不會更壞——從今天起，你們的薪金可以增加三倍！你們當我的保鏢吧，我將接管這裡的一切！』

兩個保鏢互相看看，慢慢鬆開了掏槍的手。

莫林走到娜達莎的面前，慢慢將她扶了起來。娜達莎哽著聲音道：『莫……我沒有眞的想開槍。』

『這是一場意外事故……娜達莎，悲劇有時候是無法避免的。』

娜達莎撲進莫林的懷裡，哽聲道：『莫，我再也沒有親人了，莫！』

莫林輕輕地拍撫著她的後背，安慰道：『娜達莎……難道我不是妳的親人嗎？』這個時候，莫林從心底對娜達莎生發出了憐愛。

莫林扶著娜達莎走去，經過波波娜身邊的時候，莫林冷冷地盯視著波波娜，意味深長地對波波娜道：『波波娜小姐，我對妳說過，我會接管這個龐大的遠東帝國的！這下妳相信了吧？』

波波娜輕蔑地一笑，手一抬，朝嘴巴中塞進了一片『檸檬』。轉瞬，她砰地一聲栽倒在莫林和娜達莎的面前……

莫林很快肅清了內部，正式執管『混血兒帝國』。

令他十分詫異的是，他原以爲烏蘭諾娃對『帝國』的稱呼僅僅是出於一種虛榮或者嗜好，其實不然，烏蘭諾娃暗中眞的是在準備著趁俄羅斯政局混亂之際，建立從西起西伯利亞，東到北方四島的『遠東帝國』。這個野心膨脹到了極點的女人，竟然連政府各部門的設置都計畫好了——『遠東帝國』的建立將於二〇〇九年完成！

難怪她那樣的急迫、貪婪！

莫林待各處穩定之後，立即下令解散與生意無關的部門。他不想成爲第二個烏蘭諾娃。他將『帝國』正式更名爲『遠東跨國集團』。他想做一個淸淸白白的企業家。

他已與托馬斯律師事務所聯繫上了。他告訴他們，將於耶誕節過後偕夫人娜達莎一起到歐洲，辦理遺產繼承。他已經準備好了，遺產的第一筆將用來建立『卓婭基金會』。

自從安葬了烏蘭諾娃之後，娜達莎變成沉默寡言了。她好像猛然間成熟了十幾歲。想起烏蘭諾娃的死，她便心顫。這是她第一次感到心靈受到了重創。幸好，莫林對她關懷備至，於痛苦中給了她安慰。

『娜達莎，走吧，我們一起去散散步。』莫林挽著娜達莎說。

娜達莎仰起頭來，端詳著莫林：『莫……你不會再離開我，永遠不會拋棄我，是嗎？』

『別說傻話了，娜達沙，現在，除了妳，我還有什麼?!』莫林說。

兩人都有一種相依為命的感覺。

黃昏的晚霞照耀著，一片輝煌。莫林和娜達莎走到了黑水潭邊。他們彷彿又聽見了哀哀的哭泣聲撞擊著冰封的大地。大地在震顫著。

忽然，莫林呆愣了，他看見在黑水潭的對面站立著一個女人，那女人抱著個孩子。孩子瞪大眼睛在怯怯地望著他。他以為那是一種幻覺，可分明不是。那女人竟然是卓婭！

『卓婭！』莫林大叫一聲，驚喜地沿著冰面跑了過來：『卓婭……卓婭！妳還活著？』

卓婭看著莫林，淚水奪眶而出：『莫……終於找到你了，莫！』她又低頭吻著孩子被凍紅的臉蛋，哽咽著道：『這就是你爸爸……咱們找到他了！』

莫林先是愣了愣，轉瞬便醒悟過來。他激動地將孩子抱在懷裡面，不停地親吻起來。卓婭的目光越過莫林的肩頭，去看娜達莎。娜達莎在冰面的那邊，呆呆地發怔。莫林扶著卓婭，抱著孩子，走過冰面，走到了娜達莎面前。

『娜達莎……這就是卓婭！卓婭……這就是娜達莎！』莫林爲她們倆互相介紹道。

兩個女人的目光交織在一起，欲哭無淚。莫林看著她們，心中猛然顫悸起來。男人的一半是女人，那是一種天然的平衡組合，可現在……她們、她們、她們却都成爲他的另一半了，以後該怎麼辦呢?!

那時候，夕陽已收盡最後一抹輝煌，夜暮正悄悄的降臨……

一九九五年六月九日　定稿

第一屆皇冠大衆小說

入圍作品

布達佩斯紅寶石

李寅羊——著
定價140元

追憶一段七十年代在舊金山發生的戀情。孤寂的留學生碰上一個艷麗粗俗的風塵女郎，一段頹廢、赤裸的愛戀，在舊金山的霧笛中醞釀、發生…

[楊明評]作者的文字簡練，處理故事情節手法乾淨，尤其難得的是，作者並不玩弄文字，也不以詭奇的形式取勝，平實的寫作手法一如故事中的男主角所期待的平實人生！

逆女

杜修蘭——著
定價◉200元

不幸的家庭，她雖然厭惡卻無力抵抗。她逐漸沉溺在同性戀情慾中，但仍無法使她獲得救贖，反而越走越踉蹌……

[張曼娟評]丁天使不是逆女，只是遭逢了無可逆轉的命運。而這樣的悲劇宿命，透過性格、環境與際遇等等因素，交織成一張綿密的網，將小說中的人物籠罩其中，不可自拔，沉淪到底。

國立中央圖書館出版品預行編目資料

混血兒／張永琛著． --初版． --臺北市：皇冠，民85
面；公分． --（皇冠叢書；第2578種）（皇冠小說系列；3）
ISBN 957-33-1271-9（平裝）

857.7　　84013117

<註册商標第173155號>

皇冠叢書第二五七八種
皇冠小說 3
混血兒

作　者—張永琛
發行人—平鑫濤
出版發行—皇冠文學出版有限公司
台北市敦化北路一二〇巷五〇號
電話◉七一六八八八八
郵撥帳號◉一五二六一五一—六號
登記證—局版臺業字第五〇一三號
編務經理—方麗婉
印務副理—鄭淑芳
編務副理—朱亞君
責任編輯—甘珊君
美術主編—吳慧雯
美術編輯—吳慧雯
校　對—邱秀珍・林貞華
印刷者—耘橋彩色印刷公司
台北縣新店市寶興路45巷6弄5號
電話◉九一七五八三〇
著作完成日期—一九九五年(民84)六月三十日
初版出版日期—一九九六年(民85)一月一日
◉法律顧問—蕭雄淋律師・王惠光律師

國際書碼◉ISBN 957-33-1271-9
Printed in Taiwan
本書定價◉新台幣180元